D1062972

LE CLOCHARD
FERROVIAIRE

G.-J. ARNAUD

LE CLOCHARD FERROVIAIRE

(LA COMPAGNIE DES GLACES — XXVII)
COLLECTION « ANTICIPATION »

La loi du 11 mars 1957 n'autorisant, aux termes des alinéas 2 et 3 de l'article 41, d'une part, que les « copies ou reproductions strictement réservées à l'usage privé du copiste et non destinées à une utilisation collective » et, d'autre part, que les analyses et les courtes citations dans un but d'exemple et d'illustration, « toute représentation ou reproduction intégrale, ou partielle, faite sans le consentement de l'auteur ou de ses ayants droit ou ayants cause, est illicite » (alinéa 1er de l'article 40).

Cette représentation ou reproduction, par quelque procédé que ce soit, constituerait donc une contrefaçon sanctionnée par les articles 425 et suivants du Code pénal.

6, rue Garancière - PARIS VIe

ISBN 2-265-03305-7

CHAPITRE PREMIER

Les trois employés de la petite station avaient réuni les « traîne-wagons » dans un seul compartiment en dehors de la verrière, compartiment mal isolé dans un wagon qui servait d'entrepôts à marchandises. Un des clochards avait essayé de voir s'il n'y avait rien à glaner, était revenu déçu :

— Rien que de la ferraille de récupération, les gars. C'est pas aujourd'hui qu'on va croûter à notre faim.

Les miséreux s'entassaient comme ils pouvaient sur les couchettes et ils avaient hissé celui qui se faisait appeler Gus tout en haut.

— T'es cul-de-jatte mais t'es quand même lourd, lui avaient-ils dit.

Là-haut il faisait plus chaud et il massait ses moignons à travers ses fourrures, craignait la gangrène. Il avait soif et faim. Le compartiment était à peine chauffé par un tuyau qui évacuait la fumée du poêle des entrepôts. Mais c'était mieux que rien.

— Paraît qu'à Gull Station on trouve du travail à chasser le goéland... Ils vendent les plumes, la bidoche... J'ai goûté un jour, c'est dégueulasse. Et les œufs même sentent le poisson.

— Gull Station c'est l'arnaque, dit un autre. Une

fois là-bas t'en sors plus, tu crèves sur la banquise. J'avais un copain qui n'en est jamais revenu. Je sais qu'ils font circuler des propositions d'embauche mais ne va jamais dans ce coin pourri.

— Tout est pourri dans la Dépression Indienne, dit une femme qui avait sorti un sein violacé pour nourrir son bébé. Tout est pourri.

— C'est bien pourquoi on est ici, lança un vieux qui essayait d'allumer un tabac congelé dans sa pipe... Y a vingt ans que je fais la Dépression. Le Kerguelen Network, le Capricorn, je les connais tous. Et si on nous tolère, c'est bien qu'on a besoin de nous. Moi je pense à la Transit Compagnie parce qu'ils ont toujours besoin de détrousseurs... Je dis bien détrousseurs. Cette Compagnie se charge du nettoyage des accidents ferroviaires. Faut déblayer les voies en vitesse et ils sont pas très regardants si on fouille un peu les cadavres. Il y a aussi des wagons remplis de bonnes choses... Un jour dans une catastrophe à l'ouest de Mozambic Station j'ai vu un millier de traîne-wagons sur un déraillement. Je ne blague pas. Un millier que nous étions et on s'en est mis jusqu'aux amygdales et on s'est rempli les poches. J'avais un supplément de bagages...

Tous éclatèrent de rire. La nuit venait et la seule lucarne crasseuse ne jetait qu'une clarté désolante. Gus continuait de masser ses moignons.

— Parce qu'au retour j'ai pu me payer un compartiment single, les gars!... Avec douche chaude et chiottes personnelles. Je suis allé griller mon butin un peu partout et jusqu'à China Voksal, ouais... Là je me suis embarqué sur un voilier des rails en route vers l'Africania, et en route, comme je m'étais soûlé, le capitaine m'a fait jeter sur les quais d'une station perdue. Toujours la Dépression Indienne. On n'y échappe pas, nous autres.

Un grand type entra en portant un bloc blanchâtre piqueté de marbrures marron.

— De la graisse frite de phoque. Tout ce que j'ai trouvé, dit-il, mais il y a de bons morceaux de lard grillé là-dedans... C'est pas trop dégueulasse et ça nous donnera des forces.

Il commença un partage équitable avec un énorme couteau de dépeceur de phoque. Chacun reçut sa part, même Gus sur son perchoir. Curieux comme ces gens-là étaient à la fois justes, compatissants et en même temps individualistes et violents. Dans la nuit le même coutelas pourrait servir à trancher la gorge de celui qui serait soupçonné d'avoir de l'argent sur lui et l'assassin sauterait dans un train de marchandises pour disparaître quelques mois, quitte à revenir vers les mêmes qui auraient tout oublié. Mais on ne trouvait jamais les mêmes gens ensemble très longtemps.

— Ils vont nous fourrer dans un train de marchandise en route vers l'est, vous allez voir, dit quelqu'un dans la nuit.

On avait réservé un morceau de graisse et on était en train d'y piquer des mèches. Ça donnerait un peu de lumière dans une puanteur insupportable.

— Gus, si jamais on va dans la Transit, comment vas-tu te débrouiller ? Faut drôlement se les remuer les gambettes dans un déraillement. Y a pas toujours les engins de levage et s'ils viennent c'est pour les grosses pièces, les locos, les wagons, et nous on se coltine le reste et on se déchire les combis et on se fait mordre par le froid. Faut trancher la viande nécrosée très vite. T'as perdu tes guibolles dans un coup pareil, je parie.

— Ouais, fit l'interpellé, c'est à peu près ça.

Il mordait dans sa graisse sans dégoût. L'odeur de quelques morceaux grillés permettait d'en supporter le goût atroce et surtout le contact. Il ne fallait surtout pas la laisser dégeler car elle se figeait au palais, tapissait la bouche des heures durant. On mordait, on avalait et les calories permettaient de tenir le coup.

— Pas bavard le Gus, hein ? On dit que tu as l'accent transeuropéen. Viens-tu de si loin ? Bon sang, on doit tout de même être mieux là-bas.

— Je ne sais pas d'où je viens, j'ai perdu la mémoire à une époque de ma vie. Tout ce que je sais c'est mon nom : Gus.

— Melly, vas-tu vendre ton lait ce soir ? demanda quelqu'un. Je te donne un dollar pour ce qui reste.

— Salaud, tu fais monter les enchères. Hier au soir c'était soixante-dix *cents* et c'était bien payé.

— Laissez mon gosse se goinfrer, on verra ensuite, dit la dénommée Melly.

Tous désiraient ce lait féminin pour des raisons plus ou moins obscures, plus ou moins avouées. Et Melly se faisait sa cagnotte ainsi. Elle essayait depuis des années de retrouver le reste de sa famille qui avait été accidentée sur le Capricorn précisément. On lui avait dit qu'ils n'étaient que blessés, son mari, un garçon et une fille, et elle faisait tous les trains-hôpitaux de la Dépression Indienne, espérant toujours les retrouver. Les autres « traîne-wagons » affirmaient que les trois membres de la famille étaient morts et qu'elle s'efforçait de ne pas y croire. Elle s'était fait faire un bébé sans même s'en rendre compte et disait que c'était celui de son mari.

— Un dollar c'est trop cher... Qu'en pensez-vous, les autres ?

— S'il peut les donner, c'est juste.

Gus s'était allongé sur le dos et essayait de fermer les yeux. Il n'était pas trop mal et ses moignons paraissaient se réchauffer. Le sang circulait à nouveau en provoquant des picotements supportables, preuve que la chair n'avait pas gelé.

Les mèches acceptèrent de brûler et la chaleur faisant fondre la graisse à la base, les flammes éclairèrent suffisamment le compartiment. Les huit couchettes étaient occupées et deux clochards devaient dormir sur le plancher mais ne s'en plaignaient pas.

— On pourrait aller aux nouvelles mais le chef de station se prend pour un grand chef... Une minable station comme celle-ci avec tout juste un embranchement minable pour une station de pêche... Y a pas cent habitants ici... Il doit être à la dixième échelle et au plus bas échelon, mais ça fait rien... Il se prend pour un caïd... Sa femme est obligée de vendre des boissons chaudes et de jouer des bouillottes pour allonger sa paye...

— Même qu'elle a éliminé tous ceux qui en vivaient autrefois. Je me souviens qu'ils étaient au moins quatre qui vendaient sur le quai, de l'eau chaude, de la nourriture, des couvertures et les bouillottes.

— C'est pas des bouillottes, dit Melly, c'est des briques chauffées dans le calorifère de la station.

— Ouais, mais on dit bouillotte, trancha celui qui parlait. C'est comme ça depuis toujours.

Le bébé émit une série de rots qui imposèrent un silence subit.

— Ça y est, Melly, il a fini ? Il t'en reste ?

— Plein mes deux seins, fit-elle heureuse. Ce soir je suis sûre qu'il y en a pour deux dollars au moins.

— D'accord, je prends celui qui est libre pour cinquante *cents*.

— Non, soixante !

Finalement quelqu'un monta jusqu'au dollar et Melly donna son accord.

— Laissez-moi coucher mon gosse et on s'en occupe. Mais toi, Faro, je te préviens que si tu me mords le bout, tu auras affaire à moi.

— J'étais soûl.

— Mon œil !

Quelqu'un se plaignit du manque d'alcool. Même du plus ordinaire qui soit, tiré du glycogène du foie des phoques et des morses.

— Y a bien une bière pas mal que vend la femme du chef de station, mais elle est trop chère. Elle a bon goût quand même. Elle doit la fabriquer elle-même avec du soja. Ils cultivent du soja dans leur serre personnelle chauffée aux frais de la Compagnie, bien sûr.

— Voilà, dit Melly... Les deux en même temps ou l'un après l'autre ?

— En même temps, rugit Faro. Ce salaud de Kob est foutu de goûter aux deux.

La femme s'assit au milieu de la couchette et les deux hommes s'allongèrent de chaque côté pour rapprocher leur tête vers les deux seins énormes. Bientôt un bruit de double succion frénétique monta jusqu'à Gus. Les deux hommes se nourrissaient et prenaient leur plaisir en se masturbant, tout le monde le savait. Mais on disait que le lait féminin permettait de mieux résister au froid et donnait de la chance.

Gus se boucha les oreilles pour pouvoir penser tranquillement en oubliant ce qui se passait. Il aimait être seul et n'y parvenait pas facilement.

Les traîne-wagons finirent par s'endormir et Gus, lui, réfléchissait toujours. Il était un peu ballotté au gré des uns et des autres, manquait d'autonomie. Il y avait toujours quelqu'un pour le porter dans ses bras dans un wagon en partance sans lui demander son avis. Pourtant il se déplaçait très vite sur les mains, et celles-ci étaient désormais épaisses, pleines de cals malgré le cuir de ses moufles.

Soudain la porte glissa dans ses rainures et un projecteur fut braqué sur eux :

— Debout, les gars, c'est le grand départ! On va vous fourrer dans un wagon de queue bien chauffé avec une grosse thermos de thé... Y a du travail pour la Transit à mille kilomètres d'ici.

Habitués à ces réveils brusques, les traîne-wagons sortaient du sommeil sans atermoiements.

— Tu touches combien de prime, hein? lança quelqu'un.

— Vos gueules! Sinon on vous fourre dans un compartiment glacé.

Ce fut Kob qui descendit Gus de sa couchette et le porta jusqu'au train de marchandises qui venait de s'immobiliser dans la minuscule station. Mais le wagon de marchandises était déjà rempli d'une trentaine de clochards raflés sur la ligne et qui protestèrent lorsqu'on leur imposa les nouveaux venus. Il y avait bien un poêle à graisse, une bouilloire, mais plus de thé dans le récipient thermos habituel. Ils s'y attendaient et se regroupèrent dans un coin dans la paille plastique qui isolait bien du froid.

— Vous savez où on va, les gars?

— Mascareignes Compagnie.

— Quoi, mais ça fait plus de mille kilomètres! On en a pour des jours. La Transit accepte des contrats jusque là-bas?

— Faut croire... Et ce sera pas du gâteau... Un train rempli de cochons qui a déraillé. Les bêtes ont voulu filer et sont mortes dans un rayon de plusieurs kilomètres autour de l'accident... On a relevé la loco, les wagons.

— Les cadavres?

— D'hommes? Paraît que oui.

— Merde, foutu pour leur faire les poches! Enfin on bouffera du porc. Mais faudra se coltiner les morceaux sur des kilomètres et si le vent se lève ça va être notre fête. Faudra s'y mettre à deux au moins pour tirer les bêtes sur la banquise, et encore. On va bouffer de la viande de porc et c'est hautement calorique.

— Paraît qu'il y en a des milliers.

— Pauvre Gus, dit Melly, tu vas faire comment sans les jambes ?

— Avec sa queue, dit quelqu'un.

On s'esclaffa ailleurs que dans leur groupe. Gus sourit tranquillement :

— J'ai l'habitude... Regardez.

Profitant d'un étroit passage il se déplaça à toute vitesse sur ses mains sous les regards ébahis, fit un demi-tour sec sans perdre l'équilibre et retourna à son point de départ.

— Ben ça..., fit Melly.

— Ouais, mais tu auras les mains occupées, avec quoi tu tireras les porcs ?

— Avec mes dents, dit-il. Il suffit que j'aie une bonne toile et une corde. Je fourre le porc dessus et je tire avec mes dents. Je peux tirer un wagon vide de cette façon et je l'ai déjà fait pour me faire un peu d'argent dans le nord.

— J'aimerais voir ça, dit Melly.

— Quand tu voudras.

14

CHAPITRE II

Chaque fois qu'elle retournait en Patagonie, Lady Diana prenait de grandes précautions et ne circulait qu'en train blindé, n'acceptait jamais la moindre invitation. Si on voulait la rencontrer, c'est à bord de son convoi qu'on devait se rendre, et les visiteurs, outre un laissez-passer spécial, devaient accepter de se laisser fouiller.

Seize ans auparavant elle avait provoqué la mort de deux millions de personnes, certains disaient même le double, après avoir détourné l'électricité produite par la plus grosse centrale de la province, Magellan Station. Tout le courant avait été utilisé pour le creusement du fabuleux tunnel qui un jour, mais pas avant une génération, peut-être deux, réunirait le pôle Sud au pôle Nord sous l'épaisse couche de glace, à même le sol ancien. Pour mener cette œuvre gigantesque à bout, et surtout pour maintenir en état ce qui était déjà accompli, elle devait se procurer à n'importe quel prix de l'énergie. Le tunnel entraînait de grosses dépenses, car il fallait le réfrigérer, prévoir des capillaires par milliards de kilomètres où circulait un gaz produisant du froid.

Magellan Station n'était pas encore reliée à l'un des tronçons du fameux tunnel et elle dut accepter que son train blindé resurgisse à l'air libre pour atteindre la capitale de la Province Australe.

Son rendez-vous était l'un des plus importants qu'elle ait donnés depuis longtemps puisqu'elle devait rencontrer M.S.A. Palaga. M.S.A. signifiant le Maître Suprême des Aiguilleurs, un titre et une fonction que le grand public ignorait et qui ne figuraient jamais dans la nomenclature des puissants dirigeants de l'ordre des Aiguilleurs. Seuls quelques initiés de haut niveau connaissaient son existence et un petit groupe son nom et ses origines.

Il ne portait jamais l'uniforme noir et argent dans la vie de tous les jours. Il était le grand maître Aiguilleur de la Patagonie et du Réseau Antarctique, mais ce n'était qu'une couverture. En réalité il dirigeait tous les Aiguilleurs du monde entier, et s'il était un homme dans ce monde glaciaire qui soit vraiment informé, c'était bien lui.

Lorsqu'il entra, la grosse présidente de la Panaméricaine, la femme la plus riche et la plus puissante de la planète se leva et s'inclina :

— Bonjour, mon oncle.

— Bonjour.

Palaga était un vieillard sec et longiligne, chauve, avec des yeux bleus protubérants, un nez aquilin et une bouche large et sèche. Il n'avait aucun âge mais n'avait jamais eu l'air jeune. On disait qu'il approchait des cent ans mais c'était une légende.

— Il y a longtemps que nous ne nous sommes pas rencontrés.

— Je le souhaitais, dit Palaga.

Il s'assit en face d'elle, refusa toute boisson sauf un peu de lait s'il était écrémé.

— Tu n'aurais pas dû ordonner la mort de ce journaliste Zeloy, le maître Aiguilleur Vicra est dans une délicate situation.

16

— Zeloy devenait dangereux, il approchait de plus en plus de certains secrets.

— Et tu n'as pas retrouvé Lien Rag. Tu devais retrouver Lien Rag.

— Nous avons acquis la certitude que ses cendres supposées n'étaient pas les siennes... On dit que les Sibériens en savent plus. Ils disent que Lien Rag et le pirate Kurts auraient emprunté la Voie Oblique.

— Toutes les précautions avaient été prises pourtant.

— Il doit exister plusieurs sas...

— Nos Aiguilleurs de la Sibérienne se plaignent que le pouvoir les brime. Moscova Voksal a décidé de créer ses propres économies de formation et aucun Aiguilleur n'est admis dans les administrations stratégiques comme la police et l'armée. Nous sommes en train de perdre du terrain sur tous les fronts, y compris dans la Compagnie de la Banquise.

Lady Diana cessa d'essayer de faire tourner son énorme diamant autour de son annulaire droit. Le doigt était si enflé de graisse qu'elle devrait cisailler l'anneau et faire ressertir la pierre.

— Tu grossis, Diana, et c'est mauvais. Tu n'as pas soixante ans et tu en parais plus. Regarde-moi. Je suis frugal. Crois-tu que je ne pourrais pas me livrer aux joies malsaines de la nourriture ? Non, je bois du lait écrémé, je mange des fruits, des légumes, jamais de viande. Je ne bois pas d'alcool.

— J'ai besoin de manger pour travailler dix-huit à vingt heures par jour.

— Tu es comme ta pauvre mère, ma sœur. Elle est morte étouffée par sa graisse.

— Nous ne sommes pas ici pour discuter de mon poids, fit-elle avec hauteur.

Palaga la regarda fixement et elle faillit rougir de confusion.

— Les Rénovateurs se sont emparés de Sun Company, tu ne sais pas où se trouve cette Compagnie et moi je l'ignorais il n'y a pas si longtemps.

— Je les croyais dans le nord de la Banquise du Pacifique.

— Il y aurait trois fractions.

— Vous inquiètent-ils, mon oncle ?

— Pas pour l'instant, mais depuis la Sun Company ils pourraient reproduire leur expérience. Tu as su que... que ce que je suis forcé d'appeler le soleil est réapparu durant une demi-heure dans une région heureusement perdue dans les montagnes. Il semble que le phénomène ait été vu sur environ un million de kilomètres carrés, dans des endroits très reculés et par moins de deux cent mille personnes. Des Asiates qui ne communiquent pas fréquemment avec le reste du monde et qui ont leur langue archaïque... Si bien que lorsqu'on apprendra la nouvelle on l'attribuera à un esprit trop imaginatif. Rien à voir avec la Grande Fonte de 2346. Mais ce Rénovateur, un certain Helmatt, a bien failli aller au-delà. Il avait réussi à shunter tous les réseaux électriques clandestinement et les Aiguilleurs de la Compagnie n'en savaient rien.

— Vous n'êtes donc pas infaillible, mon oncle, remarqua Lady Diana avec ironie.

Il la regarda une nouvelle fois avec froideur et elle se jura de ne plus se laisser aller à ce genre de remarque. Son oncle l'avait toujours terrifiée depuis sa petite enfance et c'était lui, à la mort de son père, qui l'avait prise en main, l'avait façonnée. Il vivait comme un moine ascétique. On ne lui connaissait aucun vice, aucune faiblesse, et il méprisait l'argent. Il n'occupait qu'un compartiment dans le train de l'administration ferroviaire et ne possédait qu'une draisine assez quelconque pour ses déplacements. Même pas de loco-car, encore moins de ces silico-cars qu'on importait de plus en plus de la Compagnie de la Banquise.

— L'urgence c'est l'enquête sur la mort de Zeloy. C'est un journaliste africanien, nommé Assoud, qui dirige la commission formée par les correspondants de presse à Grand Star Station. Floa Sadon n'a rien fait contre cette initiative. Je croyais que tu avais un grand pouvoir sur elle.

Lady Diana rougit cette fois.

— Tu te vautres dans la luxure avec elle, tu dois lui imposer tes vues.

— C'est une fantasque.

— Il faut l'éliminer... Susciter une autre présidence.

— Ce sera difficile, c'est l'actionnaire la plus riche et la seule qui accepte des responsabilités. Les autres ne songent qu'à jouir de leurs royalties qui sont énormes. Ils ne font rien pour leur Compagnie, et même les réseaux commencent à se délabrer.

— C'est exact. J'ai des rapports d'Aiguilleurs très inquiets mais tu dois trouver quelqu'un qui la remplace et qui nous sera dévoué. Pour notre prestige il faut que Vicra, en Transeuropéenne, et Lichten dans la Compagnie de la Banquise, retrouvent leurs prérogatives. Pour commencer.

— Le Président Kid sera intraitable sur le sujet.

— Commence par Floa Sadon. Il faut qu'elle réchappe à un attentat qu'on mettra sur le dos des Rénovateurs, mais elle saura d'où vient le coup.

— Elle risque de se durcir.

— Arrête de l'aider. Ce sont des dizaines de trains qui chaque jour franchissent la Banquise de l'Atlantique pour ravitailler cette Compagnie.

Lady Diana aurait bien aimé se verser de l'alcool mais n'osait le faire en présence du terrible bonhomme. Elle se demandait quel âge il pouvait avoir. Cinquante-cinq ans auparavant il était ainsi, avec les cheveux gris au lieu de blancs.

— Un attentat qui aura lieu lorsqu'elle se trouvera en compagnie de cette ambassadrice de la Banquise, Yeuse, l'ancienne prostituée...

— Mon oncle, un attentat qui ne fera pas de victime, c'est très difficile à réaliser.

— Il suffit de trouver les gens capables de réussir.

— Ça ne suffira pas à réhabiliter Vicra. Et pour Lichten ?

— Tu entretiens d'excellentes relations avec le Kid, vous vous rencontrez même secrètement et vous êtes bien faits pour vous entendre.

L'allusion malveillante la laissait indifférente. Elle admirait le Gnome qui dirigeait la Banquise parce qu'il était en train de réussir contre tous les mauvais prophètes. La monnaie de cette Compagnie, la « calorie », concurrençait souvent le dollar dans les paiements, et le niveau de vie des habitants de la concession était le plus élevé qui soit. Il régnait là-bas un semblant de démocratie qu'elle détestait mais qui donnait aux gens l'impression d'être les plus libres de la Terre.

— Une fois ces problèmes rapidement réglés, il faudra savoir si vraiment Lien Rag est bien vivant.

— Vous en doutez encore ?

— Oui. On a dit que les Eboueurs de la Vie éternelle protégeaient en fait les gens les plus dignes de rester en vie, ne liquidant que les inutiles. On a dit que le pirate Kurts avait depuis longtemps des relations privilégiées avec les Eboueurs et qu'ils l'ont prévenu lorsque Lien Rag est tombé entre leurs mains.

— Kurts le pirate surgit chaque fois que Lien Rag va mourir, comme un ange tutélaire, comme si un mystérieux message l'informait. Cela s'est produit deux fois à ma connaissance, pourquoi pas trois ?

— Nous voulons aussi savoir depuis bientôt vingt ans pourquoi un type d'intelligence moyenne, bon

20

technicien sans plus, glaciologue de seconde classe en Transeuropéenne, s'est brusquement découvert des qualités exceptionnelles de moraliste, de redresseur de torts. Un élément extérieur a sensibilisé en lui ce que nos laboratoires génétiques appellent un gène d'éveil. Mais quel était cet événement extérieur ?

— Nous ne sommes pas les seuls à y songer. Je sais par Floa Sadon que Yeuse y pense aussi, et si elle est rentrée rapidement de Sibérienne, c'est pour participer à l'enquête et aussi retrouver cet élément extérieur.

— Le jour où elle le découvrira, elle risque de comprendre bien des choses, et je me demande si nous ne devrions pas la sacrifier, elle, dans cet attentat. Yeuse mourrait, Floa Sadon ne serait que blessée et éclaboussée par le sang de son amie... Voilà qui constituerait un avertissement net.

Il avala une gorgée de lait écrémé et elle frissonna de dégoût. Elle détestait le lait. Elle détestait la frugalité de cet homme, sa peau parcheminée, mais sans lui elle ne serait rien puisqu'en fait il était en quelque sorte le maître secret du monde.

— Je crois que nous avons fait le tour des tâches à venir. Tu sais que cent mille Sibériens sont empêtrés dans la banquise en face de cette amibe géante qu'ils avaient toujours niée ?

— Je l'ai appris.

— Nous pourrions négocier avec eux au sujet des Aiguilleurs exclus des fonctions importantes. C'est le moment.

CHAPITRE III

Les premiers jours, dans sa joie de retrouver son ambassade et ses collaborateurs, Yeuse n'avait pas prêté attention à l'atmospnère générale dans la capitale transeuropéenne mais peu à peu à travers les rencontres, les impressions elle trouva que Grand Star Station faisait le gros dos face à un danger aussi imminent que vague.

— La ville est frileuse, dit-elle à Sernine qui lui rendait visite.

— Grosses difficultés d'approvisionnement, scandales, enquête sur la mort de Zeloy, incertitude sur la politique que mène le conseil d'administration. Vous êtes satisfaite de votre séjour dans ma Compagnie ?

— Très. Et surtout de mon voyage sur la banquise du nord car j'ai pu comptabiliser les richesses que l'on y trouve. Mais vous êtes au courant.

L'ambassadeur sibérien fit la grimace :

— Vous les revendiquez, m'a-t-on dit. Vous en avez fait un inventaire global dont l'estimation apparaît exagérée.

— Le général Sofi l'a accepté tel quel.

— Le général Sofi ne décide pas seul.

Le chef d'état-major connaissait de grosses difficultés avec cette Jelly, amibe monstrueuse qui occupait un territoire énorme et contre laquelle les troupes s'usaient.

— Il est même question qu'il soit remplacé sur le front de ces opérations de nettoyage… Il court des bruits stupides… La Convention du Moratoire compte envoyer une commission d'enquête.

— Attention, le prévint Yeuse, ce serait une ingérence politique sur un territoire de notre concession. Nous possédons les titres de propriétés sous forme d'actions et la C.A.N.Y.S.T. les a authentifiés.

— Vous savez bien qu'en quatre ans, c'est le délai extrême, vous n'aurez jamais établi un réseau qui vous relie à ce vaste territoire. Nous pouvons le gérer en attendant de trouver un autre accord.

— Qu'en savez-vous si, d'ici quatre ans, nous n'aurons pas au moins les quatre voies nécessaires pour créer un réseau ?

Il la regarda avec perplexité. Mais Yeuse ne voulait pas engager de polémique avec lui. Elle savait que le Kid ayant destitué Lichten, le chef de la police ferroviaire, l'avait chargé du Réseau du 160e méridien et que l'Aiguilleur aurait à cœur de réussir sa mission. Mais il faudrait dix ans pour atteindre la région occupée par les Sibériens, mais ça elle ne le dirait pas à Sernine.

— J'attends toujours les preuves sur la survie de Lien Rag. Vous m'avez dit qu'il avait échappé à la mort mais vous ne m'avez rien dit d'autre.

— Mais je ne peux aller au-delà de ces confidences déjà imprudentes de ma part.

— J'estime que vous me devez plus si vous voulez que je présente au Président Kid un rapport favorable à vos thèses dans certains domaines. Sauf en ce qui concerne la banquise nord.

— Que reste-t-il ?

— Le développement des échanges et des relations, la fourniture de verre de silice par exemple. La restauration d'une voie de communication à travers l'Australasienne jusque dans votre Province de Mongolie. Il suffit d'accords avec les microcompagnies pour réduire à deux semaines le trajet qui, par l'Europe, demande des mois.

— C'est intéressant mais pas nouveau. Nous aimerions que le Président nous aide à rétablir l'ordre des Aiguilleurs dans la normalité. Nous voulons les empêcher d'intervenir politiquement.

— Nous participons déjà à la lutte contre les Rénovateurs du Soleil et nous avons obtenu des résultats. Leurs dirigeables n'osent plus effectuer des incursions en Compagnie de la Banquise et il n'y a plus de razzias comme précédemment. Nous avons arrêté des centaines de sympathisants et nous les avons coupés de la population pour les installer dans les nouvelles stations suspendues sur les branches latérales du grand viaduc transbanquisien.

— Des camps de concentration, dit la presse internationale. Qu'en est-il ?

— Il y a eu des erreurs, mais désormais ces gens-là bénéficient d'une autonomie tant qu'ils ne cherchent pas à rejoindre le tronc commun du réseau. Ils deviennent locataires d'une branche latérale. A eux la liberté de créer des stations, des entreprises, de pêcher, de chasser, de récolter le plancton, de construire les serres. Pour la plupart ils bénéficient de conditions climatiques agréables puisque à ces endroits la mer est souvent très chaude et par la différence de température ils peuvent se servir de pompes à chaleur.

Elle alla prendre une documentation sur le sujet que le Kid faisait distribuer dans les principales Compagnies pour réfuter toutes les accusations.

— Il faut abattre la puissance des Aiguilleurs.

24

Ce sont eux qui enferment le monde dans un réseau invisible de contraintes et de conservatisme.

La jeune femme paraissait s'amuser beaucoup. La C.A.N.Y.S.T. établissait nettement le rôle des Aiguilleurs dans la société ferroviaire, les décrivant comme les agents hautement qualifiés et pénétrés de leur mission d'une continuité entre les diverses Compagnies. Les attaquer c'était s'en prendre à la C.A.N.Y.S.T. qui, comme par hasard, siégeait dans la concession de la Panaméricaine.

— Je vais vous apprendre une chose, voyageur Sernine. Mon président a changé de chef de la police. L'ancien Lichten a été chargé du Réseau du 160e. C'est une promotion en apparence mais en fait c'est un désaveu.

L'ambassadeur parut enchanté :

— Dans ces conditions, je pense que nos relations vont beaucoup s'améliorer encore.

— Je l'espère, mais je veux savoir autre chose sur Lien Rag et sur la Voie Oblique.

Sernine examina le tapis du bureau où il avait été reçu.

— Il faudrait un autre endroit pour parler de tout ça. Je ne veux pas que mes paroles puissent m'être opposées un jour. C'est une affaire entre vous et moi.

— Il n'y a pas d'écouteurs dans cette pièce, dit-elle avec énergie. Ni ailleurs.

— Qu'en pensez-vous ?

Méfiant, le diplomate, mais c'était logique. Il se leva et s'inclina :

— Nous prendrons rendez-vous.

— Vous me direz des faits précis ?

— Je vais réfléchir.

Lorsqu'elle regarda par son hublot pour le suivre quand il remonta dans son loco-car, elle fut attirée par les silhouettes sur le dôme. Les Roux grattaient à nouveau la glace là-haut ? C'était donc qu'il y avait eu réduction du chauffage urbain et elle ne s'en était pas rendu compte. Décidément les affaires de la Transeuropéenne allaient plutôt mal et elle avait lu quelque part qu'il y avait eu de nouveaux troubles dans certaines stations, mais dans l'est de la concession cette fois. Des marches silencieuses contre la faim et le froid.

Le soir même elle rencontrait le journaliste Assoud qui dirigeait la commission d'enquête des correspondants étrangers sur la mort de Zeloy.

Assoud habitait à la périphérie de la ville, dans un quartier de sale réputation. Un quartier qui rappelait des souvenirs à Yeuse puisqu'il s'étendait à la limite d'une ancienne verrière, à proximité de l'usine de transformation de la glace en eau sinon potable du moins courante. Des trains entiers apportaient des blocs énormes qu'on broyait, réchauffait, et une vapeur éternelle et suffocante emplissait les espèces de gorges entre les alignements de wagons-habitations populaires. Dans le coin il y avait des gens d'origines différentes, mais surtout des Noirs et des Jaunes. Comme si Grand Star Station les avait refoulés dans un ghetto.

Le journaliste lui confirma ses soupçons. C'était un géant de près de deux mètres qui chez lui portait une djellaba molletonnée. Il l'impressionna par sa force paisible, son visage serein.

— Surprise que j'habite ici, mais les Transeuropéens ne veulent pas les gens de couleur dans le centre de la station et je préfère vivre ici.

Il lui offrit du thé et des confiseries très sucrées de son pays.

— Moulah vit, lui, au centre, dit-elle.

— C'est notre ambassadeur. Mais ne vous inquiétez pas, je n'en suis pas humilié pour autant. Je suis quand même mieux que ceux qui travaillent sur le dôme central, non ? Et ici on a eu tout de suite la structure gonflable. Un peu opaque, bien sûr, si bien qu'on se croit toujours à la tombée de la nuit, mais il fait chaud.

— Cette vapeur ne vous suffoque pas ?

— Je m'y suis habitué.

Elle but le thé et puis il alla chercher des documents concernant la mort de Zeloy. Il avait d'autres photos du corps que celles qu'on lui avait déjà montrées sur la draisine après l'explosion.

— Ça c'est la photo robot du soi-disant chauffeur. Nous sommes en train de retrouver sa trace. Il aurait pris un rapide pour le sud tout de suite, c'est-à-dire deux heures après l'explosion. Nous pensons qu'il a rejoint Atlantic Station qui, vous le savez, est une sorte d'enclave panaméricaine sur l'inlandsis portugais, juste avant la banquise.

— Vous pensez que c'est Lady Diana qui a commandité le crime ?

— C'est une des hypothèses, mais il y en a d'autres. Le chauffeur doit se trouver en dehors des frontières, peut-être en Panaméricaine.

— Zeloy enquêtait sur la vie de Lien Rag, voulait écrire un livre. Où en était-il dans ses recherches historiques ?

Assoud reversa du thé avec des gestes mesurés étonnants chez un tel athlète :

— Je pense qu'il avait progressé fortement.

CHAPITRE IV

C'était un spectacle toujours stupéfiant pour les gens de la Transit C° de voir arriver cet étrange attelage depuis le fin fond de la banquise. Une sorte de crapaud, comme dans les vivarium, qui progressait par petits bonds en tirant une lourde charge derrière lui.

Le cul-de-jatte allait chercher les cadavres de porcs jusqu'à six kilomètres en marchant sur ses mains et revenait en les tirant avec ses dents. Il avait confectionné un traîneau léger avec du plastique. Il faisait rouler l'animal raide dessus, s'arc-boutant de ses moignons équipés de crampons en fer et finissait par revenir avec sa charge. Un jour il avait à lui seul retrouvé trente-deux porcs congelés. On lui avait attribué une prime de dix dollars.

Lorsque la bande de cinquante traîne-wagons s'était présentée, le chef de travaux n'avait pas voulu de Gus.

— Tu peux rester, faire la cuisine pour tes copains, te prélasser dans le wagon-dortoir, mais pas question que tu participes au ramassage, tu gênerais plus qu'autre chose.

Alors il était parti sur ses mains, se dandinant comme un manchot, si bien que depuis on l'appelait

Penguin, et c'était vrai qu'il ressemblait à un de ces animaux qui, lorsqu'ils étaient bien nourris, atteignaient des tailles respectables et jusqu'à cent cinquante livres.

Gus travaillait sans relâche, savait repérer les porcs égarés. Le Transit C° s'était fixé un quota en dessous duquel l'opération n'aurait pas été rentable. Ce Réseau de la Mascareignes C° était trop éloigné de ses zones habituelles et il y avait de gros frais. La loco et les wagons accidentés étaient pour elle mais elle devait rendre les porcs à la société d'assurances qui les rachetait cinquante dollars pièce. Pour équilibrer il fallait en retrouver au minimum cinq mille. On n'en était qu'à deux mille trois cents.

L'acharnement de Penguin entraînait les autres clochards à se surpasser, alors que d'habitude ils se contentaient du minimum. D'ailleurs souvent au bout de deux jours la plupart reprenaient le dur pour une autre destination. Et ceux-là s'accrochaient depuis une semaine. On avait découvert plusieurs centaines de porcs congelés dans une fissure de la banquise et on avait installé un treuil rudimentaire pour les sortir de là. C'était Penguin qui avait accepté de descendre dans la fissure qui pouvait se refermer à tout moment, pour attacher les bêtes.

A la nuit ils rentrèrent peu à peu dans le wagon-dortoir. Melly les avait accompagnés sur place mais ne travaillait pas à cause de son enfant. Mais il y avait toujours des amateurs pour son lait et, désormais, c'était trois dollars. Elle faisait aussi la cuisine. C'était du porc à tous les repas. La Transit ne se compliquait pas la tâche pour ces traîne-wagons.

— Penguin, tu veux te baigner ? dit-elle. Il y a un baquet d'eau chaude.

Il savait qu'elle le faisait pour se rincer l'œil. Au début elle était curieuse de voir s'il était encore un homme, et le soir avait raconté aux autres que Gus était le mieux monté de l'équipe. Depuis le rite se renouvelait et il aimait bien se laisser glisser dans ce baquet d'eau chaude, flotter quelques instants en rêvant. Puis il y avait toujours quelqu'un pour attendre qu'il sorte. Oh, ils n'étaient que trois ou quatre à aimer se laver.

— T'es pas un vrai traîne-wagon, lui reprochait Kob, sinon tu aimerais ta crasse. Elle protège du froid, et la mienne doit avoir dans les trente ans, et un pouce d'épaisseur.

Il sortit du baquet à la seule force de ses bras musclés, se roula sur un linge qui l'enveloppa et marcha jusqu'au gros poêle qui montait jusqu'au toit du wagon. Il n'y avait pas de compartiments mais des bat-flanc un peu partout. C'était un bon endroit et Melly arrivait à faire oublier qu'il y avait du porc trois fois par jour.

A droite du poêle en entrant s'allongeait la grande table qui pouvait recevoir cinquante personnes. On prenait sa gamelle et on allait se servir à gauche du poêle dans la bassine du réchauffeur, autant de fois qu'on le voulait.

Au début Melly voulait l'aider, car Gus la fascinait, mais il se débrouillait seul, s'arrangeait pour accéder à la bassine, plongeait la louche, saisissait l'anse de sa gamelle entre ses dents et clopinait vers la table où il se hissait à la force du poignet, sans lâcher son repas, la mâchoire crispée. Une fois assis, il paraissait avoir deux jambes comme les autres. Il ne choisissait pas ses voisins de table mais Faro et Kob aimaient bien l'encadrer. A tous les trois ils formaient une petite bande. Gus ne disait rien, ne manifestait aucune joie ni aucun mécontentement de les voir là mais dans le fond il appréciait.

— Si jamais ils ne récupèrent pas leurs cinq mille porcs, ils arrêtent le chantier d'ici quatre jours, annonçait quelqu'un en face d'eux. Je l'ai entendu dire dans les bureaux quand je suis allé chercher un pic à glace.

— Ces foutus salauds de bestiaux étaient plus costauds qu'on pensait et ils ont dû aller encore plus loin. Faudrait établir une voie provisoire vers le nord...

— Y a les loups, les goélands, les rats et les ours blancs, on ne trouvera pas grand-chose au-delà de quatre à cinq kilomètres, dit un Asiatique.

— Fallait s'attendre à ce que ça se termine. On arrivera juste à trois mille.

— Ça leur fait quand même cent cinquante mille dollars, merde! Ils n'en ont jamais assez.

— Ça coûte cher de garder ici des bureaux, un wagon comme celui-ci, d'amener l'huile de phoque pour le chauffage.

— En tout cas la nourriture est gratuite. On doit se taper deux porcs par jour.

— Trois, dit Melly... Ça fait trois.

— Six cents livres de barbaque...

— C'est que les petits. Disons quatre cents.

— Huit livres chacun, n'empêche.

— Oui, mais y a rien d'autre.

— Tu vas vers où ensuite? demanda Kob à Gus.

— Je ne sais pas encore.

Il accepta que Faro aille lui remplir sa gamelle pour la seconde fois.

— Nous on a l'intention de partir avec la Transit. Ces porcs qui s'entassent dans les wagons faudra bien les livrer quelque part. Les assurances vont les vendre et on aura peut-être besoin de découpeurs. C'est mon métier, ça. Découpeur. Et toi tu as un métier?

— J'en avais un. Eleveur.

— De porcs! s'esclaffa Faro qui déposait la gamelle fumante devant Gus.

— Non de rennes.

— C'est quoi des rennes?

Gus regarda autour de lui, ne rencontra que des visages surpris. Personne n'avait jamais entendu parler des rennes.

— C'est comme une vache avec des bois au lieu de cornes. Tiens, tu vas voir.

De la pointe de son couteau il grava la silhouette d'un renne dans le bois.

— Ben merde, t'étais pas dessinateur plutôt?

— Non, mais j'aimais les observer et les dessiner.

— C'est gros?

— Avec les sélections on arrivait à des cinq ou six cents kilos, mille à douze cents livres, pardon... Ça donne du lait, de la fourrure courte, et de la viande. Ça peut vivre dans une basse température et c'est facile à élever.

— Et que fais-tu ici?

Gus ne répondit pas et commença d'avaler son porc au soja à grands coups de cuillère. Les autres comprirent qu'il n'en dirait pas plus.

— Tu suivras les porcs avec nous? demanda Kob.

— Je ne pense pas.

— Tu as un autre projet?

— On m'a parlé d'un endroit, Concrete Station.

Depuis des jours il pensait prononcer ce nom et il avait plusieurs fois hésité. Il n'osait regarder les autres franchement, ayant l'impression que ce nom bizarre allait provoquer une réaction violente ou une catastrophe.

— Comment t'as dit?

— Concrete Station..., fit Kob d'un air rêveur. Jamais entendu ce nom-là et pourtant je traîne dans la Dépression Indienne depuis trente ans. Concrete Station.

— C'est quoi du concrete? demanda l'Asiate d'en face.

— Du béton.

— Je suis bien avancé. Et le béton ?

— Un produit pour assembler des trucs ensemble.

— De la colle ?

— Non, pas de la colle. Du béton.

— Autrefois on s'en servait pour bâtir des maisons, dit Faro d'un ton très docte. Des maisons qui ne bougeaient jamais et qui étaient bien plantées dans le sol. Quand il n'y avait pas la glace.

— J'aurais pas aimé, dit quelqu'un. Toujours à la même place ? De quoi devenir dingue, oui.

— Mais non. Il y avait autre chose en face de la maison, des arbres, des plantes, des fleurs, d'autres maisons, la rivière, le soleil.

Ils riaient tous à cause de ces mots qui ne signifiaient rien. Sauf le dernier qui leur fit froncer les sourcils.

— Hé ! Faro si t'es un Réno tu vas prendre une tripotée dont tu te souviendras.

— Je ne suis pas réno mais j'explique et s'il y a que toi pour une tripotée, je crains rien.

Sentant que ça risquait de finir en bagarre, Gus intervint pour expliquer :

— On liait des pierres avec le béton. Les pierres c'est dur et on trouvait ça dans le sol.

— Pourquoi une station s'appellerait-elle Béton Station ?

— Non, Concrete Station. J'en sais rien.

— Pour coller les wagons aux rails, tiens, idiot, ricana celui qui avait menacé Faro.

Alors Gus appuya ses mains sur la table et d'un coup hissa son corps et marcha vers l'homme en se dandinant comme un pingouin.

— Tu as quelque chose à dire de plus, dit-il en s'approchant de lui.

Interloqué, l'autre le fixait sans rien dire. La façon dont Gus avait sauté sur la table sans pouvoir s'aider de ses jambes était impressionnante et l'homme

33

comprit que celui-là ne craignait rien, pouvait lui sauter dessus, s'agripper à lui et l'étouffer entre ses bras puissants. Ses jambes à lui ne serviraient pas à grand-chose.

— Ça va, on rigole.

— Oh! si on rigole, d'accord, je veux bien rire aussi, dit Gus en prenant le gobelet de l'homme. Dis donc, c'est de la bonne bière, ça.

La Transit avait ouvert un bar qui vendait de la bière et de l'alcool, mais seulement le soir pendant deux heures. Ils en achetaient tous et la buvaient sur-le-champ.

L'homme pâlit mais laissa faire et Gus retourna s'asseoir. Il sauta littéralement pour rejoindre son banc sans effort apparent.

— Pengouin, dit Kob, viens avec nous. On dépècera les porcs et ensuite on ira avec toi à la recherche de cette Concrete Station.

Gus hocha la tête en réattaquant le contenu de sa gamelle :

— C'est correct.

— Faudra se procurer les indicateurs de tout le coin.

— Je préférerais m'adresser à un ordinateur.

Ses voisins le regardèrent comme s'il avait parlé de s'adresser directement au Président de la Compagnie de la Banquise ou au Pape.

— Un ordinateur, voyez-vous ça, fit Kob avec un rire aigrelet. On sait aussi se servir d'un ordinateur... Tu sais peut-être aussi conduire une grosse loco ?

— Je crois que je m'en souviendrais, dit modestement Gus.

— Ben pardi... Un ordinateur, tu entends ça, Faro ?

— J'entends. Un éleveur de rennes qui sait se servir d'un ordinateur.

Gus terminait le fond liquide de sa ration à lentes

cuillerées. Il était repu. Bien aussi. Il faisait bon, il était propre et il avait le ventre plein.

— On trouvera un terminal dans une cross station.

— C'est pas qu'elles soient rares, mais faudra aller quand même assez loin pour en trouver une. Y a que des Y station dans le secteur.

— Et ta Concrete Station apparaîtra comme ça sur l'écran ?

— Je l'espère, dit Gus qui sortit un cure-dents en tuyau de plume de goéland de sa poche.

— Et tu iras faire quoi à Concrete Station, si c'est pas trop te demander ?

Gus nettoya ses dents en réfléchissant puis parut se rendre compte que Faro attendait toujours sa réponse :

— Eh bien, on dit m'y attendre.

— Pour élever des rennes ?

— Quel réseau, quelle Compagnie ? fit Kob.

Les autres quittaient la table, emportant leur gamelle, se dirigeaient vers les bat-flanc ou vers le bar situé dans le wagon suivant communiquant par un soufflet.

— Avec un nom pareil je pense qu'on n'a pas besoin de connaître le réseau et la Compagnie. Tu me dirais la cross station numéro un tel, d'accord, mais Concrete Station c'est vraiment quelque chose de pas ordinaire. Je ne comprends pas ce qu'ils ont voulu dire, surtout dans une région pareille... En admettant qu'ils fabriquent du béton, qu'en feraient-ils ? Des rails, des traverses ? Mais où puiseraient-ils la matière première, tu peux me le dire ?

— Et on t'attend là-bas ? insista Kob.

— Du moins je l'espère. Je vais aller boire un verre de vodka, de la vraie, et puis j'irai me coucher. Je vous invite tous les deux, les gars.

La vodka devait être faite avec du soja fermenté mais c'était mieux que le glycogène. Ils payèrent chacun sa tournée et retournèrent dans l'autre wagon.

Melly donnait la dernière tétée à son nourrisson, un gros garçon qui braillait souvent la nuit. Gus se hissa en haut de son bat-flanc. Il choisissait toujours la dernière couchette pour être tranquille.

Il était enfoui dans ses couvertures lorsque Kob hissa son visage lunaire à sa hauteur :

— Pengouin, si tu veux téter la Melly je te laisse mon tour pour ce soir.

— Pas question de t'en priver, Kob. Quand j'en voudrai je m'inscrirai. Va te régaler.

— Tu sais, parfois elle fait un effort, ça dépend du gars.

— Je te remercie, mais j'ai besoin de me reposer.

CHAPITRE V

Yeuse n'aimait pas voir ces formes blanchâtres se coller contre les fenêtres du compartiment. Il ne faisait pas froid dans ce compartiment, les wagons d'habitation bon marché profitant de la chaleur produite par l'unité de production d'eau. Mais ce brouillard devenait inquiétant et on pouvait les observer sans se montrer. Assoud comprit son trouble et alla tirer les rideaux au tissage artisanal.

— Ça vient de chez moi. Chaque famille cultive le coton dans sa propre serre et fabrique son tissu. C'est ainsi que nous vivons avec quelques productions agricoles et des animaux. Nous avons une vie très archaïque. Il y a un grand réseau qui traverse notre station en direction du sud, mais la plupart des gens s'en moquent et ne prennent jamais l'omnibus pour aller à la grande cross station voisine.

— Zeloy avait progressé au sujet de Lien Rag ? Qu'avait-il découvert de nouveau dans la vie de mon ami ?

— Dans les archives publiques de la Transeuropéenne, ici même, il avait retrouvé le nom de Lien Rag à la date du 17 décembre 2320.

— Mais il n'était qu'un enfant alors, comment aurait-il pu figurer sur les archives de la Compagnie ?

— Depuis le calendrier a été rectifié à partir de l'année 2360, et ici en Transeuropéenne on avait un retard de dix-neuf ans. Mais les archives n'ont pas été corrigées. Si bien qu'on ne sait pas exactement le jour, le mois, l'année. Mais Zeloy avait noté 2339 sans autres précisions que la référence à la date périmée des archives.

— Mais comment avait-il pu savoir que Lien Rag y figurait ?

— Zeloy fouinait partout et passait des heures dans toutes les archives accessibles. Et il a trouvé un fichier de noms, ceux des demandeurs de faveurs exceptionnelles. Lien Rag avait demandé l'attribution d'un vapeur pour pouvoir se déplacer sur de vieilles voies abandonnées et privées d'électricité. Il était le chef d'une petite mission chargée d'étudier la solidité de la couche de glace dans le secteur 3 de la Province 17.

— Dont le gouverneur était le père de Floa Sadon.

Il approuva et se pencha sur ses notes :

— Zeloy estimait que c'était à dater de ce jour-là que Lien Rag a changé. Il s'est produit un déclic dans sa vie. Vous savez ce qu'il disait de lui-même ?

— Qu'il était programmé depuis des siècles. Qu'il avait en lui un gène qui brusquement s'était manifesté.

— Un gène d'éveil. Il a fallu qu'il soit excité extérieurement pour sortir de sa passivité. Et c'est là-dessus que travaillait Zeloy. Ce matin-là il avait rendez-vous à la Sécurité pour déposer sa demande de vapeur. Ce vapeur qui devait le rendre énergétiquement indépendant.

— C'était déjà une velléité de refuser le sort commun, l'électricité dont se contentait tout le monde, sauf les quelques privilégiés qui alors avaient droit à la vapeur. On ne parlait pas trop de diesel à cette époque-là.

— Sans cette mission dans des territoires dépourvus d'électricité il n'aurait jamais eu l'idée d'aller demander un vapeur. Vous savez qui l'a reçu ?

— Le lieutenant Skoll. Qui est désormais colonel dans la Zone Occidentale occupée par des Roux évolués sur l'ancien emplacement de la mer du Nord, de l'Angleterre et de l'Irlande. Le colonel métis de Roux...

— Il risquait gros à cette époque s'il avait été découvert et encore maintenant les métis sont exclus de l'administration et surtout de la sécurité. Il n'est pas mieux loti chez les Roux évolués puisqu'il est tenu en suspicion comme tous les métis.

— C'est chez Skoll que pour la première fois on lui a posé directement la question : « Avez-vous jamais entendu parler de la Voie Oblique ? »

Il montra une liasse de feuillets :

— J'ai une partie des travaux de Zeloy qui avait prévu une dizaine d'exemplaires de ses notes et les avait répartis entre des mains sûres. On peut en trouver d'autres et ses assassins l'ignoraient. Ils ne peuvent quand même pas descendre une dizaine de personnes.

— Vous croyez que ça les effraierait ?

— Je ne sais pas... Lien Rag avait déjà entendu parler de cette Voie Oblique, mais vaguement, par des gens sans importance, des conversations après un bon repas, des divagations d'ivrognes. Et là sérieusement un lieutenant de la Sécurité lui posait la question.

— Vous avez les notes de Zeloy, mais lui où a-t-il trouvé celles de Lien rang ?

— Chaque jour Lien Rag tenait un livre de bord et chaque jour il y faisait un rapport méticuleux de son existence. C'était alors un homme discipliné. On retrouve ces rapports, ces livres de bord dans les archives de la Section de Glaciologie, département des techniques d'infrastructure ferroviaire. C'est tout simple. Les livres de bord de Lien Rag étaient de véritables journaux intimes. On y lit ses craintes de ne pas obtenir un vapeur, sa conversation avec Skoll.

— Le même jour il a rencontré Floa Sadon, dit Yeuse. Je m'en souviens très bien. Elle l'a remarqué sur les quais, puis depuis le palais sur rails de son père qui ressemblait à une mosquée et se déplaçait sur une dizaine de voies, encombrant toute la circulation lorsque le gouverneur regagnait le siège de sa province River Station.

— Nous avons dû essayer de retrouver d'anciens collaborateurs de Lien Rag mais ils ont tous disparu. Zeloy avait fait de même et s'est heurté à un échec. Alors carrément nous sommes allés à River Station comme il l'a fait et noté. C'est dans la bibliothèque du gouverneur qu'on a trouvé quelques notes laissées par Lien Rag.

— Dans son palais ?

— Le gouverneur devenu trop vieux a fait don de sa bibliothèque à la station et on peut y trouver pas mal de livres rares notamment sur les Roux. Et aussi ces notes de Lien Rag sur ce qu'on appelle un livre d'or que lui avait donné Floa. Il y a écrit quelques réflexions qui laissent à penser que le même jour où Skoll l'a questionné, Floa Sadon lui a également posé cette question sur la Voie Oblique.

— Ce serait l'élément excitateur du fameux gène ?

— On peut l'affirmer. Le même jour, qui fut très long car Lien Rag accompagna Floa à l'extérieur de la station dans une sorte de partouze, il s'est rendu compte que toute une ville qui se nommait F Station était envoyée en déportation. Ses maisons mobiles, ses quais occupaient la plus grande partie du réseau et il fut frappé par le lent défilé de cette cité déchue

40

et condamnée à un sort peu enviable. Dans la partouze il rencontra aussi des marginaux, dont une fille Ariel qui voulait coucher avec lui.

— Il me l'a raconté. Et c'est aussi la première fois qu'il voyait un homme Roux à pouvoir le toucher. Il ne les avait jamais aperçus que sur les verrières et les dômes des stations en train de gratter la glace ou le long des voies en train de glaner des détritus.

— Nous avons donc plusieurs possibilités, au moins quatre : Skoll, Floa Sadon, la marginale Ariel, le Roux. Cette Ariel habitait dans un vestige de l'ère solaire, un gratte-ciel qui dépassait à la surface de la glace. Ces gens-là prenaient le risque de désobéir aux règlements en occupant une habitation en dur, et immobile. Zeloy s'est rendu là-bas mais n'a rien retrouvé. Tout a été rasé, et il n'y a que la glace. Impossible même de situer l'endroit à un kilomètre près. Pourtant le gratte-ciel doit toujours exister sous un ou deux mètres de glace.

— Pour vous la journée se termine avec le retour de Lien Rag et Floa Sadon dans cette station ?

— Oui, c'est cela.

— Vers trois heures du matin ?

— Zeloy ne donne pas l'heure exacte.

— Moi, je la connais, car à trois heures du matin je me promenais nue dans le wagon habitation des glaciologues. Un des copains de Lien m'avait ramenée chez lui et nous avions fait l'amour. Je me rendais à la salle de bains lorsqu'il est entré. Nous nous sommes serré la main. Une situation cocasse que je n'ai jamais oubliée.

— Vous voulez dire que vous pourriez être le cinquième élément excitateur ?

Elle sourit :

— Je ne pense pas l'avoir excité sexuellement ce soir-là car il avait son compte.

— Nous devons envisager tous les incidents qui

ont jalonné cette journée-là. Je me charge d'aller en Zone Occidentale interviewer Skoll.

— On ne vous laissera peut-être pas l'approcher. Il est en disgrâce.

— J'essayerai. Vous chargez-vous de Floa Sadon ?

— Elle va s'étonner. N'oubliez pas qu'elle subit l'influence de Lady Diana. Il faudra que je réfléchisse à la façon de procéder.

— Cela déborde le cadre de mon enquête sur la mort violente de Zeloy mais j'ai bien envie de reprendre son œuvre. Moi aussi la vie de Lien Rag m'intéresse.

— Alors il y a un mystère qui peut-être le concerne et que vous pouvez m'aider à éclaircir. Il existe dans votre Compagnie, l'Africania, une zone interdite où se trouve Topless Station. On dit que le pirate Kurts y possède une base. Que savez-vous de cet endroit ?

— Qu'il y règne une température assez clémente pour qu'on se dispense de verrière ou de dôme, d'où le nom plein d'humour. L'endroit est proche de l'emplacement d'un ancien volcan, le Kilimandjaro, qui empêcherait la glace de s'épaissir… On trouverait même le sol nu, la terre, des arbres… Il y ferait dans les vingt degrés… Ce territoire a été donné aux Aiguilleurs voici des années.

— Mais voyons, si Kurts…

— C'est tout ce que je sais. Les Aiguilleurs l'ont occupé, en ont expulsé la population et nul ne peut plus y pénétrer depuis.

— Vous êtes sûr, pour les Aiguilleurs ?

— C'est la thèse officielle. L'endroit est interdit à cause du central d'informatique qui regrouperait toutes les données ferroviaires de l'ouest entre les méridiens 0 et 180.

— C'est stupéfiant… Je n'y crois pas. Ou alors ce sont les Aiguilleurs qui m'ont remis l'ampoule avec les fausses cendres de Lien Rag... les Aiguilleurs qui se sont emparés de l'ancien réseau électronique de Kurts.

— Pourquoi pas ?

— Ils s'en seraient vantés. Je connais une immense caverne où on trouve des trésors inestimables... Depuis la nourriture jusqu'à des tableaux, de l'or... Ils m'ont laissé y accéder.

— Ils y avaient un intérêt quelconque, vous faire admettre la mort de Lien Rag.

Il lui demanda ensuite si elle voulait dîner avec lui dans un petit restaurant que tenaient des amis, juste sur l'autre quai, mais elle devait rentrer à l'ambassade pour terminer un rapport qu'elle comptait expédier au Kid sur ses entretiens avec Sernine.

— Soyez sur vos gardes, dit-il. Dès que vous questionnerez Floa Sadon, Lady Diana vous aura à l'œil, et on dit qu'elle est étroitement liée aux Aiguilleurs. On dit même qu'elle serait une descendante d'Aiguilleurs.

— Ses parents détenaient surtout une grande partie des actions de la Panaméricaine, voilà ce que j'ai entendu dire quand je représentais la Compagnie de la banquise auprès de la C.A.N.Y.S.T.

— Je vais vous raccompagner.

Quelqu'un frappa à la porte et dit quelques mots dans une langue inconnue. Assoud ouvrit et un adolescent parla très vite en faisant de grands gestes. Lui aussi sans être noir avait la peau très sombre. Le journaliste le remercia et se tourna vers elle :

— On a repéré un loco-car suspect non loin d'ici. Avec quatre hommes à bord. Vous êtes venue comment ?

— En tramway.

— Nous allons passer par un autre quai. Nous pensons qu'ils nous surveillent. Ils se doutent que Zeloy avait pris ses précautions et commencent à comprendre qu'ils ont commis une faute stupide en le faisant abattre ainsi.

Il lui prit le bras pour la diriger dans ces rues gorgées d'une vapeur tiède. Elle remarqua les nombreuses échoppes, les bars minuscules, les restaurants. A l'abri de l'unité de production s'était installée toute une vie animée qu'on ne rencontrait pas dans le reste de la ville, et surtout pas dans le centre aristocratique où les grands restaurants, les endroits où l'on s'amusait soi-disant lui apparaissaient comme sinistres.

Il attendit le tramway avec elle et la regarda partir. C'était vraiment un bel homme, pensait-elle, et elle souhaita le revoir.

Sur son bureau l'attendait une lettre de R., l'écrivain. Il avait décidé de rentrer dans la Compagnie de la Banquise, malgré l'interdiction tacite du Président Kid. Il disait qu'il s'installerait à Kaménépolis et qu'il y attendrait son expulsion. Mais peut-être le bloquerait-on à la frontière. Il avait hâte de renouer avec une vie intellectuelle plus riche, même si Kaménépolis n'était plus aussi florissante que deux années auparavant. Enfin il voulait que le roman qu'il avait écrit durant son exil en Africania soit publié dans la Compagnie de la Banquise.

CHAPITRE VI

Grâce à Kob il avait appris à découper correcte-
ment un porc, du moins pour les gros morceaux, car
son ami et Faro se chargeaient de la découpe de
détail. Il travaillait assis sur la table même où on
jetait l'animal, et il se déplaçait tout autour avec une
rapidité étonnante. Au début tout le monde se
moquait de « Penguin » mais, depuis qu'il avait
prouvé que son rendement était excellent, on lui
fichait la paix. Et son couteau de découpeur manié
avec tant de dextérité impressionnait aussi les esprits.

Ils avaient passé un pacte tacite tous les trois. Ils
découpaient les trois mille deux cents porcs récupérés
par la Transit et ensuite avec l'argent gagné ils
essayeraient de retrouver cette Concrete Station.

Gus avait appris qu'il lui faudrait pas mal de
dollars pour avoir accès à un ordinateur de recherche
comme il le désirait, et ce n'était pas dans une
quelconque cross station qu'il trouverait son affaire.
On lui avait conseillé Stanley Cross, la capitale de
l'Australasienne. Capitale qui n'administrait pas
grand-chose puisque les multiples Compagnies n'en
faisaient qu'à leur tête, mais on y trouvait quand
même la centralisation de certaines données sur les
Compagnies, les stations, la Banque fédérale, le

Bureau des Identités, le Service des Concessions. Là-bas il pourrait louer un ordinateur par tranches de cinq minutes à deux cents dollars la prestation.

— Ça va te coûter chaud, avait dit Faro. Pour le voyage, pas le problème pour des traîne-wagons comme nous, mais pour l'ordinateur... Et si tu as besoin d'un technicien c'est le double.

— Espérons que je m'en sortirai seul.

Dans l'abattoir ils étaient une trentaine à découper et dans une semaine tout au plus les trois mille deux cents porcs seraient débités et ils pourraient s'en aller. Le soir ils logeaient tous les trois dans un minuscule compartiment qu'ils louaient deux dollars par jour. Le chauffage n'était pas merveilleux, et pour se laver il fallait que Gus aille jusqu'à un wagon-bains à deux quais de là. Ils s'étaient séparés des autres et de Melly qui pensait visiter les hôpitaux de la Mascareignes C° pour retrouver son mari et ses enfants.

Pour la nourriture, ils devaient se rabattre sur la cafétéria voisine qui, comme par hasard, servait du porc, vu que le gros arrivage et les bas morceaux permettaient de bons bénéfices.

— Tu sais, dit Kob, j'ai demandé autour de moi. Ici c'est plein de traîne-wagons dont certains ont fait le tour du monde... Si, mon vieux. Y a un gars qui arrive de l'Antarctique, qui a fait la Patagonie et tout le reste. Il est resté en carafe sur une minable station de la Banquise Atlantique et a dû s'embarquer contre son gré à bord d'un baleinier à voiles. Tu te rends compte ? Pas un de ces types n'a jamais entendu parler de cette Concrete Station et j'ai comme l'impression qu'on t'a raconté une blague.

— Celui ou celle qui t'attend là-bas t'a monté un lapin.

— Mais on ira à Stanley. On va pas se dégonfler. Puisque tu payes ton ordinateur on ira.

— Je suis sûr que Concrete Station existe. Et qu'elle se trouve dans la Dépression Indienne.

— C'est grand, la Dépression. Du Réseau du Cancer au nord jusqu'à l'Antarctique au sud. T'as qu'à compter, dit Faro.

— Oui, mais elle est étroite, ricana Kob. On a plus de chances comme ça.

Ils se moquaient gentiment de lui mais dans le fond ils se passionnaient de plus en plus pour cette station inconnue qui commençait à se parer à leurs yeux de mille promesses. Ils en rêvaient et désormais leur vie avait pris une autre dimension. Ils avaient un but, un copain, et quand ils voyaient Penguin se dandiner sur un quai ou sur la table de découpe, ils étaient émus et ravis. Ils ne pouvaient plus se passer de ce cul-de-jatte qui partout où il passait imposait vite le respect et l'admiration après un temps de moqueries. Personne n'osait le défier vraiment et il savait se battre, lancer le couteau avec une précision diabolique. Il disait avoir tué des loups de cette façon et on le croyait.

Quand il n'y eut plus un seul porc à découper ils en furent enchantés, trouvant que depuis quelque temps ils travaillaient trop. Ils achetèrent de grosses quantités de nourriture et de la vodka, s'enfermèrent dans le compartiment et mangèrent et burent comme des ogres. Puis comme Kob regrettait que Melly ne fût plus avec eux, Faro proposa d'aller au quai aux Putains.

— Y a des wagons pleins de femmes. De un dollar jusqu'à cinquante. Il paraît qu'on y trouve des Rousses. Complètement délabrées par les thermo-hormones. Mais j'ai quand même envie d'essayer. On dit que c'est pas pareil et puis j'aurais l'impression de m'étendre sur une fourrure.

Gus les accompagna mais resta sur un tabouret de bar tandis qu'ils disparaissaient, Faro avec une

Rousse, Kob avec une femme qui ressemblait à Melly.

Il y avait d'autres Rousses dans le bar et elles paraissaient droguées effectivement. Pour tenir au moins douze heures elles se bourraient d'hormones et déréglaient leur métabolisme. Elles maigrissaient ou devenaient énormes avec des seins qui pendaient, mais surtout leur fourrure perdait de sa somptuosité cuivrée. Elles finissaient par boire et par devenir des épaves qui, ne pouvant plus acheter d'hormones, étaient obligées de retourner sur la glace où elles mouraient très vite. Les plus récentes dans le métier étaient merveilleuses, et Gus comprenait Faro. Sans ses principes, il aurait fait signe à l'une d'elles âgée de quinze ans dont les aréoles violettes de ses seins aigus le fascinaient.

Il avalait lentement sa vodka et ne faisait guère attention aux conversations de comptoir. Tout le monde le connaissait et on le laissait tranquille. La barmaid lui souriait même gentiment et il savait qu'elle venait elle aussi de Transeuropéenne. Avec sa famille elle avait voulu émigrer en Compagnie de la Banquise, mais c'était l'époque de la guerre avec la Panaméricaine. Bloquée dans Amertume Station, elle avait vu ses parents mourir sous la dictature féroce des Cellules de Coordination Populaire, et son jeune âge l'avait sauvée puisque jusqu'à trente ans on laissait vivre les gens à peu près normalement. Par la suite elle avait pu s'évader et avait traîné le long du Capricorne d'une place à l'autre. Un peu mieux qu'une traîne-wagon mais guère. Et jolie encore malgré ses expériences.

Sans trop savoir pourquoi il lui demanda si elle avait entendu parler de Concrete Station et elle secoua la tête, lui raconta sa vie :

— J'ai failli être envoyée dans une expédition au sud avec le fameux Lien Rag. Personne n'en est

revenu. Tous morts de froid et de faim. Ils se sont
entre-dévorés, mais Lien Rag s'en est sorti lui. Quel
bonhomme !... Je me souviens que je l'ai surveillé
une fois. J'étais en uniforme, bien sûr, et je m'effor-
çais d'être aussi dure que les autres. Des sauvages,
voilà ce qu'on était. Je pouvais frapper, tuer, rire de
voir souffrir quelqu'un. Ça n'allait plus dans ma
caboche, ça c'est sûr. Lui il a mis tout le monde dans
sa poche et s'en est tiré. Plus tard, j'en ai souvent
entendu parler, et puis il est mort. Mais moi je ne
pense pas qu'il soit mort. Un type qui buvait un coup
dans ce bar m'a dit qu'il l'avait vu bien vivant... Deux
années après sa mort.

Gus tressaillit et la regarda avec l'air d'en douter.

— Un type qui ne parlait pas beaucoup. Un
trappeur. Il piégeait une race de rats particulière qui
donne une belle fourrure une fois bien transformée...
Il avait sa petite draisine-vapeur et il filait dans des
endroits impossibles pour faire son boulot. Il avait
même dressé un rat et, des fois, il l'amenait ici. Je ne
supportais pas de le voir courir sur le comptoir et
licher la vodka dans le même verre que le bonhomme.

— Vous l'avez revu ?

— Il est mort. Et il s'est fait bouffer par les rats
qu'il apprivoisait dans sa draisine.

— Il disait avoir vu Lien Rag ?

— Dans un endroit désert. Une grosse loco se
serait arrêtée à hauteur de sa draisine et il aurait vu
Lien Rag en descendre pour lui montrer une carte.

— Une carte ferroviaire ?

— Certainement, quoi d'autre ? Une histoire com-
pliquée de réseaux disparus, de voies enfouies sous la
glace mais qui existaient toujours. Je n'y ai pas
compris grand-chose.

— Comment savait-il qu'il s'agissait de Lien Rag ?

— Le trappeur avait essayé de créer un élevage

dans la Mikado C° où Lien Rag avait travaillé. Il l'avait même rencontré autrefois mais l'autre ne l'avait pas reconnu, mon chasseur de rats si. Vous savez comment il faisait ? Il tuait un phoque et l'empêchait de geler avec un circuit d'eau chaude branché sur sa chaudière, si bien que le cadavre ne gelait qu'en surface et pourrissait à l'intérieur. Il attendait une semaine et puis il jetait un filet sur le phoque. Dans le ventre il retrouvait parfois jusqu'à cinquante rats qui se goinfraient, et même des jours une femelle qui en profitait pour mettre bas une portée dans la chaleur de la putréfaction. C'est dégueulasse, non ?

Elle paraissait ravie de raconter ce genre d'histoire, mais sur Lien Rag elle n'en savait pas plus. Faro revint et avala deux verres de vodka pour calmer sa déception. Il n'avait pas obtenu avec la Rousse les sensations espérées. Puis Kob les rejoignit et ils décidèrent de rentrer. Gus leur expliqua que la fille du bar avait entendu dire que Lien Rag n'était pas mort.

— C'est la même histoire dans tous les bars de la Dépression Indienne, affirmèrent-ils. Et moi je l'ai vu il y a une semaine et l'autre lui a serré la main et payé un coup. Ça c'est la grande légende dans le coin. On a l'impression que ce type mort est plus connu que de son vivant.

— Je ne sais même pas ce qu'il a fait, avoua Kob.

Dans leur compartiment ils mangèrent encore un morceau et burent avant de se coucher. Gus avait déjà regagné la couchette du haut.

— Demain y a un dur qui file vers l'est et qu'on pourrait essayer de prendre. On file chacun un dollar au chef de train, je le connais, et on se rapprochera de Stanley Station. En wagon de marchandises chauffé parce qu'il transporte des pousses végétales précieuses... Des orangers. Vous avez déjà entendu

50

parler de ça ? C'est pour la Banquise… Paraît que là-bas ils les cultivent dans des serres si grandes qu'on y circule en draisine pendant des heures sans jamais arriver au bout.

Gus alluma un cigare euphorisant et croisa ses bras sous sa tête. Il pensait à toutes ces légendes qui concernaient la survie de Lien Rag, estimait qu'il y avait un fond de vérité même minime dans chaque conte à dormir debout. La fille du bar avait parlé d'une grosse loco. S'agissait-il de l'énorme locomotive de Kurts le pirate, qui était d'une dimension telle qu'on pouvait vivre à plusieurs dizaines à l'intérieur ? Une légende encore, mais Gus savait que celle-là était authentique. Une locomotive dont l'avant ressemblait à une tête de mort. Sur les côtés, des sabords de cuivre pouvaient s'effacer pour dévoiler des batteries de lance-missiles, et l'équipage avait l'habitude d'arraisonner les trains de marchandises sur les réseaux de Transeuropéenne.

Un jour le Pirate avait complètement disparu mais Gus ne l'avait pas appris tout de suite.

— A la santé de Concrete Station, lança Faro complètement soûl en jetant le contenu de son dernier verre au fond de sa gorge avant de s'effondrer sur sa banquette.

— Ouais… Santé ! rétorqua Kob encore plus ivre que lui.

Gus sourit. Ils imaginaient un eldorado perdu dans la banquise, un endroit accueillant où ils trouveraient peut-être des raisons de se fixer après une vie d'errance, mais lui savait qu'il s'agissait de bien autre chose.

CHAPITRE VII

Ils étaient debout sur le toit de la draisine pour mieux suivre l'envol de *Plein Soleil* qui retournait vers Fraternité II, Ma Ker, les Rénovateurs de la base créée dans le protoplasma de Jelly.

Quand le dirigeable ne fut plus qu'un point noir qui n'en finissait pas de grimper pour franchir les hautes montagnes, Liensun sauta sur le sol. Juguez, moins souple, prit des précautions pour le rejoindre. Tout autour la foule des Tibétains paraissait encore sous le charme et refusait de se disperser. Durant des jours et des jours, toute la population avait défilé sur le terrain où l'aéronef était ancré. Ils venaient du fin fond de la Concession, apportaient des présents de toutes natures. Les mineurs avaient même défilé avec leur tenue de fond, les récolteurs de lichens étaient descendus de leur vertigineux échafaudage et jusqu'aux prêtres des Lamasseries qui avaient voulu faire le tour du dirigeable avec leurs clochettes, leurs cymbales et xylophones. On venait remercier, adorer ceux qui avaient vaincu le Démon du Feu et chassé son maître. Helmatt était mort dans l'attaque de son laboratoire et Liensun essayait au plus vite de relancer l'économie de la petite Compagnie.

— S'ils savaient, dit-il à Juguez tandis que le

mécanicien démarrait lentement. S'ils savaient que nous avons comme idéal la résurrection à terme du soleil…

— Nous ne voulons pas l'imposer comme Helmatt. Nous voulons proposer une hypothèse de retour à un climat plus tempéré.

Liensun préféra ne pas répondre. Ce qui le passionnait le plus c'était d'organiser cette Compagnie, de la rendre prospère.

— Vous dirai-je, confia Juguez, que je suis heureux de rester avec vous et surtout d'éviter de me retrouver dans cette horrible base de Fraternité II ? Au centre de cette amibe qui n'attend qu'une occasion de nous phagocyter tous.

— Parlez-moi de Jdrien.

Juguez sursauta. Selon les directives de Ma Ker ils n'en avaient jamais fait mention, aussi bien Xerw, le commandant du dirigeable que lui-même, mais le garçon avait lu dans leur esprit. Il aurait toujours fallu se tenir sur ses gardes avec lui, verrouiller son cerveau.

— Ma mère adoptive vous a interdit d'en parler ?

— Elle préférait que sa présence ne rentre pas en ligne de compte dans vos décisions.

— Que veut-il ?

— Vous rencontrer.

— Comment est-il arrivé jusqu'à Fraternité II ?

Juguez parut chercher son souffle et lui jeta un regard inquiet :

— Il a marché à travers Jelly. Des jours.

— Impossible.

— Il l'a pourtant fait. Il a maîtrisé le système nerveux de l'animal, un système primaire, mais les parois de protoplasma se sont ouvertes devant lui et il n'a eu qu'à marcher jusqu'à nous.

— Moïse et la mer Rouge ?

— Je ne sais pas qui est ce Moïse… Mais votre

frère a accompli ce prodige et nous a tous surpris. Depuis les Rénovateurs le vénèrent comme un dieu.

Liensun crispa ses mâchoires et voila l'éclat vindicatif de ses yeux.

— C'est un exploit extraordinaire et je pense que sa présence les rassure.

— Comment cela ?

— Il a vaincu la Bête, l'a forcée à lui obéir, et tant qu'il sera là, les Rénovateurs savent qu'ils pourront sortir de la Bête. Il suffira qu'il marche devant eux et il les conduira vers la liberté. Si par hasard les dirigeables étaient détruits, ce qui pourrait arriver puisque les Sibériens attaquent Jelly. Sans résultat pour l'instant et avec des pertes sévères, mais ils peuvent trouver un moyen. Les contrebandiers du Réseau des Disparus en utilisent plusieurs, eux, pour faire franchir à leur convoi la partie de protoplasma qui recouvre les rails sur des dizaines de kilomètres. Je sais que les Sibériens auront dix fois plus à franchir mais je préfère ne pas y penser, et je vous le répète, c'est ici qu'il nous faut préparer la future société solaire, pas là-bas.

— Si Ma Ker décide de nous rejoindre avec les Rénos, que fera Jdrien à votre avis ?

— Il viendra vous rejoindre aussi. Il veut plaider la cause de son peuple.

— Peuh ! ces sortes de singes à poils ? Vous appelez ça un peuple, Juguez ?

— Ce sont des humains, Liensun, et vous le savez bien. Votre père s'est battu pour le faire admettre, le Président Kid l'a souvent proclamé et Ma Ker ne le nie pas. Ils nous gênent nous autres Rénovateurs car si le Soleil revient ils ne pourront pas survivre dans la chaleur. Mais ce sont des hommes.

— On ne sait même pas d'où ils sortent. Ce n'est quand même pas de la génération spontanée. Ici il n'y en a pas, de toute façon, et j'en suis ravi.

— Ils ne trouveraient rien à glaner ni à chasser.

— Ce sont des mendiants et des rapineurs.

Juguez préféra ne pas répondre. Ils atteignaient l'usine à herbe où pour montrer la primauté qu'il attachait à sa construction et à sa production, Liensun s'était installé. Le Conseil provisoire de gestion s'y réunissait également. Les progrès étaient déjà considérables. On construisait des théories de fours à charbon, on faisait circuler de l'eau chaude et l'herbe poussait ainsi que le soja et déjà les premiers essais de betteraves fourragères. On avait livré quelques wagons et les voltigeurs qui en haut des échafaudages récoltaient le lichen ne risqueraient plus leur vie pour nourrir les troupeaux de yaks. Liensun avait demandé, aux acheteurs étrangers qui guettaient le moment où les éleveurs ne pourraient plus nourrir leurs animaux, de quitter la Compagnie. Il ne traiterait qu'avec ceux qui payeraient raisonnablement.

— Juguez, je voudrais vous charger d'une mission humanitaire. Il existe dans cette Compagnie un bagne épouvantable à mille mètres de profondeur.

— Mille mètres ?

— Une mine de charbon. On y enferme les condamnés qui ne remonteront plus jamais à la surface. Un système d'administration par les bagnards eux-mêmes est en place au fond avec tout ce que cela comporte d'injustice, de dictature et de favoritisme. Lorsque les quantités de charbon diminuent, les rations alimentaires et la fourniture d'électricité, d'huile et d'objets de première nécessité comme les tissus sont aussi diminuées. Il faut que vous alliez étudier la situation sur place, me faire un rapport dans les meilleurs délais. D'ici un mois le bagne doit disparaître.

Ils allèrent se poster devant la carte générale de la Concession.

— C'est ici dans cette vallée difficile d'accès. Vous devrez changer souvent de réseau.

— Nur Tso ?

— C'est bien ça. Je vais vous signer un ordre de mission et de réquisition. Vous me tenez au courant. Essayez de faire d'eux des mineurs libres qui pour le moment seraient cantonnés dans le coin sans autorisation d'en sortir. Mais leurs familles pourraient les visiter. On fera ensuite le tri entre ceux qui sont de véritables criminels. Je ne pense pas qu'il y en ait beaucoup.

Le reste de la journée il fut obsédé par la pensée que son demi-frère Jdrien devenait l'idole des Rénos de Fraternité II, le remplaçait dans le cœur de ces gens-là. En fait il savait qu'il n'avait jamais gagné leur affection mais qu'on l'estimait et le respectait, car il savait se montrer intrépide et travaillait dur. Mais son demi-frère possédait une aura certaine alors que lui n'avait pas ce charisme qui attirait la sympathie immédiate.

Il était certain que Ma Ker, à son corps défendant, y avait succombé aussi, et ça il ne pouvait pas le supporter. Il y aurait des esprits assez tortueux pour penser qu'il n'était pas revenu avec le dirigeable *Plein Soleil* pour ne pas avoir à affronter son demi-frère. On allait le traiter de lâche et il n'en supportait pas l'idée. Mais pouvait-il laisser passer la chance de devenir le maître de la Sun Company ?

CHAPITRE VIII

Dès qu'il fut à portée radio de la base de Fraternité II, le commandant Xerw envoya un message pour annoncer son retour, mais il dut se rapprocher de plusieurs centaines de kilomètres avant d'obtenir une réponse. Les appareils fonctionnaient mal et les ondes se propageaient difficilement sur la terre glacée.

— Passez-moi Liensun, ordonna la voix sèche de Ma Ker.

— Désolé, il n'est pas à bord.

— Comment ? Que signifie ?

— Il a préféré rester avec Juguez. Il semble désormais posséder tous les pouvoirs dans cette Compagnie mais je préférerais vous l'expliquer de vive voix.

Ce fut un technicien du contrôle aérien qui succéda à la vieille physicienne :

— Infléchissez vers le sud. Les Sibériens ont essayé de nous contourner et votre route croiserait leur nouveau réseau. Ils pourraient vous abattre.

Deux heures plus tard *Plein Soleil* plafonnait au-dessus de la large échancrure pratiquée dans le corps gélatineux de l'amibe géante. Il y avait deux autres dirigeables ancrés à moins de cinquante mètres, trois autres au sol. Xerw dut se faufiler adroitement pour laisser filer ses ancres. Une chance que le vent soit nul.

Son aéronef fut treuillé au sol au fur et à mesure que les ballonnets se dégonflaient et il fut le dernier à quitter le bord, ne laissant qu'un piquet de garde.

Ma Ker l'attendait seule dans le bureau du collectif administratif et il comprit qu'elle était hors d'elle.

— Vous avez failli à votre devoir, vous n'avez pas rempli les conditions de votre mission. Je vous destitue. Vous deviez ramener Liensun.

— Seul le Conseil peut me destituer, dit-il calmement, et je dois comparaître devant un tribunal. Je ne pouvais le contraindre par la force alors que cent mille Tibétains le considèrent comme leur sauveur... J'ai eu ma part de leur vénération ainsi que *Plein Soleil*.

Brièvement il raconta dans quelles circonstances et la physicienne réapparut sous la dirigeante autoritaire.

— Helmatt a réussi pour la deuxième fois à faire réapparaître le soleil ? Quel homme prodigieux.

— Une heure environ...

— Lui seul savait associer laser et ultrasons... C'était un savant et un bricoleur de génie... Quand la pensée scientifique doit se vulgariser pour fournir aux exécutants un schéma de travail, c'est toujours là que ça pêche, qu'une partie de la recherche s'évapore. Lui combinait les deux, savait se servir de ses mains. C'est regrettable qu'il ait montré autant de fanatisme...

— Il a failli faire tuer Liensun. J'ai aussitôt pulvérisé son labo. Je sais que j'aurais dû envisager autre chose mais le garçon pouvait être abattu.

Ma Ker se calmait, se faisait expliquer comment Liensun pouvait gouverner, lui un garçon de quinze ans.

— Il en paraît plus de vingt, mais tout de même…

— Vous savez, les lamas élisent de très jeunes enfants comme chefs spirituels et séculiers, et ils ne sont pas du tout réticents devant la jeunesse de Liensun.

Elle redevenait normale et esquissait un vague sourire de regret :

— Je suis désolée, mais j'attends depuis si longtemps qu'il revienne… Vous ne lui avez pas parlé de son demi-frère qui attend toujours ?

— Non. C'était inutile. Mais je crains qu'il ne l'ait lu dans nos cerveaux. On ne peut toujours se méfier.

— Naturellement il souhaite que nous le rejoignions là-bas ?

— Bien sûr. Tout est prévu pour votre installation et c'est vraiment le meilleur endroit souhaitable. De hautes montagnes cernent la Concession et il n'y a que trois passes qui permettent d'y accéder en chemin de fer. Elles sont toutes minées et à la moindre alerte des tonnes de rochers et de glace les bloqueraient sans qu'il soit possible de dégager les rails avant des mois. Liensun pense qu'avec les dirigeables nous aurions une autonomie parfaite. Il y a de quoi survivre et même vivre confortablement puisque le charbon est assez abondant pour le nombre d'habitants.

— Oui, mais les habitants sont habitués à la société ferroviaire, je suppose.

Il perdit son enthousiasme.

— C'est certain. Sans le rail ils seraient tous isolés.

— Vous… l'admettez ?

— C'est un mal nécessaire.

Elle se renversa dans son fauteuil et ferma les paupières :

— Vous l'admettez tous parce qu'en fait vous n'avez jamais supporté l'idée de vivre en dehors des rails. Vous appartenez à une génération qui n'a jamais pu rompre ce cordon ombilical et chaque fois que vous retrouvez cette civilisation, même dans sa technicité la plus rudimentaire, vous êtes soulagés, vous respirez mieux. En somme vous préférez cette forme d'esclavage à une liberté dangereuse.

— Pas exactement, mais Jelly c'est le pire que vous pouviez nous imposer, le pire et nous ne nous y habituerons jamais. Vous avez eu de la chance que ce métis de Roux vienne nous rejoindre et que sa puissance psychique réussisse à maintenir cette saleté à distance, sinon nous serions tous devenus fous, fous à lier.

Elle ouvrit les yeux et vit le visage d'un homme tranquille, dévoué. Ce qu'il disait elle le savait depuis toujours mais ne voulait plus l'admettre.

— Vous êtes comme les Sibériens. Vous niez Jelly en quelque sorte.

— Je sais me méfier d'elle.

— Un jour cette méfiance s'estompera et la Bête saura profiter de cette faiblesse.

— Vous me conseillez d'embarquer une nouvelle fois les gens dans les dirigeables et de les transporter là-bas ?

— Vous équipez le mastodonte du réacteur et *Soleil du Monde* emportera d'un coup les mille personnes. Les autres se chargeront du matériel. Nous abandonnerons Fraternité II une nuit avec discrétion et pendant des jours, des semaines, les Sibériens ignoreront que nous ne sommes plus là et useront leur armée à vouloir pénétrer dans l'amibe.

Elle enfouit son visage dans ses mains et il craignit qu'elle n'éclate en sanglots, esquissa un pas en avant mais elle retira ses mains, apparut très lasse :

— Je vais réunir le collectif et vous assisterez à la discussion. Je suis fatiguée et je pense qu'il est temps de laisser faire les autres...

Il ne sut que répondre. Pendant une minute elle

resta les yeux dans le vide puis demanda si *Plein Soleil* avait donné satisfaction.

— Tout à fait, dit-il avec fougue. Nous n'avons que rarement poussé des pointes de vitesse, mais nous avons maintenu une moyenne élevée de deux cent cinquante kilomètres heure, ce qui est merveilleux. Bien sûr, nous avons perdu du temps pour nous ravitailler. Il faut trouver de l'huile et ce n'est pas toujours facile. Au retour nous avons essuyé le feu des gardiens d'un dépôt d'huile minérale mais nous avons fait exploser quelques missiles sans les viser et tout s'est bien terminé.

Lorsqu'il sortit il se sentit bizarrement attiré vers l'igloo où se tenait Jdrien, le demi-frère de Liensun, le messie des Roux.

Lorsqu'il approcha, Jdrien apparut et lui sourit :

— Je vous attendais. Comment se porte mon frère ? Je savais qu'il ne reviendrait pas. Il a trouvé là-bas très loin de quoi satisfaire son ambition.

— Je le crois capable de faire le bonheur de ces gens-là, répliqua Xerw agacé.

— Ma Ker va réfléchir, n'est-ce pas ? Vous l'avez ébranlée et il est possible qu'elle décide de quitter définitivement cette base. Ce sera sage car la Bête est en train de préparer sa riposte, ses centres nerveux se développent très vite sous l'effet d'une frustration profonde et en réaction immunogène. Elle va sécréter ses anticorps contre les agents infectieux que nous sommes.

CHAPITRE IX

Ce fut Kob qui décréta qu'ils ne pouvaient se présenter à la centrale des computers habillés comme des traîne-wagons qu'ils étaient. Arrivés dans la nuit à Stanley Station, dans un wagon plate-forme recouvert d'une simple bâche, ils avaient cru mourir malgré les fourrures et les couvertures.

— On va louer des vêtements corrects. Je m'en charge. On ira ensemble là-bas et nous te porterons. Si tu arrives en te dandinant sur tes mains comme un manchot ils ne nous prendront pas au sérieux malgré le fric. Alors laisse-nous faire, on s'occupe de tout.

Il y avait un wagon pour les gens comme eux dans le fin fond de la gare de marchandises, ex-confins de la coupole hémisphérique qui s'enfonçait dans la glace à quelques mètres de là. Ils occupaient tout un compartiment depuis que Faro avait déclaré qu'ils avaient une maladie contagieuse et qu'ils venaient consulter un centre de dermatologie.

Kob revint avec des frusques présentables et dit qu'il avait loué une draisine-taxi qui serait là d'ici une heure.

Il chargea Gus dans son dos et, suivi de Faro, galopa à travers les fuseaux de rails jusqu'au taxi en question. Le chauffeur les reconnut pour ce qu'ils étaient et se fit verser deux dollars d'avance sur la course, puis les conduisit à la Centrale des computers.

Leur entrée dans le wagon d'accueil ne passa pas inaperçue, mais on en avait vu d'autres dans ce centre qui correspondait avec toutes les banques de données de toute la planète. Ce n'était qu'une question d'argent et Gus commença de remplir sa fiche et la tendit à l'employée qui la glissa dans un appareil de lecture optique.

— Le nom d'une station dans la Dépression Indienne, n'est-ce pas ?

— C'est bien ça.

— Le nom de la station ?

— Concrete Station, dit-il à voix basse craignant d'être entendu ; il se méfiait de tout le monde.

— Je n'entends pas, veuillez épeler.

Il le fit avec patience.

— Quel réseau ?

— Je l'ignore.

— Cinq cents dollars d'avance. On vous facture ensuite la différence s'il y en a.

— Cinq cents dollars, fit Faro, mais on nous avait dit...

— C'est deux cents dollars les cinq minutes, non, murmura Gus contrarié.

— Oui, mais d'après ce que je lis sur mon écran la recherche de cette station s'avère difficile et nécessitera la connexion avec une série de banques de données plus anciennes, et c'est ce qui coûte cher, car à partir du moment où nous faisons appel à elles nous devons utiliser un inter-mémo qui exige l'intervention d'un personnel qualifié. Votre demande sera acheminée, mais vous devrez revenir ce soir ou demain matin pour avoir accès à la banque de données qui pourra fournir une réponse. Il s'agit à coup sûr d'une station soit abandonnée, soit si peu peuplée qu'aucun convoi ne s'y arrête automatiquement.

— Et c'est cinq cents dollars ?

— Cash ? demanda Faro. Pas de crédit ?

Elle ne paraissait pas disposée à discuter avec ces gens qui ressemblaient à des vagabonds endimanchés. Et encore moins à sourire de leurs facéties.

— Bien, décida Gus, nous allons réfléchir avant de nous lancer dans les folies.

Il n'avait que deux cent quatre-vingts dollars sur lui, rudement gagnés dans la Transit puis pour le dépeçage des porcs.

— Attends, Gus, dit Faro. Je dois avoir quelque chose qui me gêne dans la poche.

Il lui tendit cent cinquante dollars en regardant ailleurs. Et Kob en faisait autant de son côté.

— Vous êtes malades ? C'est de l'argent durement gagné, ça... Vous me connaissez à peine et je risque de ne rien obtenir en échange.

— On aimerait assez faire une virée jusqu'à cette Concrete Station, Kob et moi.

— Pas de blagues, les amis. Vous risquez de tout perdre et vous le savez. On va essayer d'avoir une autre solution. Descendez-moi de là. Désolé, mademoiselle.

— Mademoiselle, l'écoutez pas, il fait un caprice, préparez-nous la facture.

— Ce n'est pas à moi qu'il faut payer, dit-elle imperturbable, mais à la caisse... Vous n'avez pas de carte magnétique, ajouta-t-elle avec dédain.

— Elle est restée coincée dans le distributeur à fric, répliqua Faro.

Elle prépara la fiche d'acceptation et ils emportèrent Gus jusqu'à la caisse des paiements en liquide.

CHAPITRE X

A nouveau la population de Titanpolis, capitale de la Compagnie de la Banquise, retrouvait ses habitudes nocturnes et avait complètement oublié les grandes ombres menaçantes qui, un mois auparavant, hantaient l'obscurité autour de la coupole principale. On ne l'accusait plus d'attirer cette malédiction et tout rentrait dans l'ordre. C'est à peine si on lui demandait ce qu'était devenue sa compagne Glinda et la petite fille qu'il avait adoptée, Rewa. Le limogeage du grand maître Aiguilleur Lichten faisait beaucoup plus de bruit et on ne parlait que de ça, même si Lichten occupait un poste important mais au fin fond de la banquise, vers le nord de la Concession.

Le Kid avait mis de l'ordre dans son entourage, mais il était seul. Comme il ne l'avait jamais été. Seul dans sa vie personnelle, seul dans sa vie publique puisque le départ de Lichten entraînait un certain vide autour de lui. Il n'avait plus personne à qui se confier et c'est dans un grand état de mélancolie qu'on l'informa que l'écrivain Ruanda, dit R, demandait à pénétrer dans le pays au poste-frontière de l'est.

Le télégramme arriva un soir où le crépuscule enflammé par le feu du volcan Titan était d'un rouge inquiétant. Le Kid relut le télégramme plusieurs fois avant de le déposer sur son bureau.

Ainsi le mari de Yeuse demandait à revenir, se présentait à la frontière sans même avoir écrit à l'avance comme s'il avait craint une réponse négative. Il forçait en quelque sorte sa porte, mais le Kid n'avait pas envie de le renvoyer d'où il venait.

Le secrétaire convoqué, il lui ordonna d'aller chercher l'écrivain à la gare frontière et de le ramener à Titanpolis.

— Ici ? répéta le jeune fonctionnaire éberlué.

— Ici, et vous prendrez ma loco-fusée. Je veux qu'il n'attende pas. Envoyez un télex pour le prévenir. Qu'en attendant on le loge dans le meilleur hôtel.

— Bien, voyageur Président.

Il avait trop forcé la mesure ces derniers temps, trop serré la vis, il lui fallait un libéral comme R pour prendre des décisions plus démocratiques. Il le chargerait de plusieurs missions auprès des intellectuels et l'enverrait à Kaménépolis pour redonner son éclat à cette ville. Voilà exactement l'homme qu'il lui fallait en cette période de désarroi. Il avait tout perdu en quelques jours mais retrouvait un ami sincère qui, au moment de son exil, lui avait donné cet avertissement :

« — Un jour, vous serez seul, sans amis. »

Il ne se trompait pas. La logique du pouvoir l'avait entraîné jusqu'à briser les liens les plus chers. Désormais il était le dos au mur.

Les nouvelles du Viaduc n'étaient pas très bonnes, on piétinait. Une série d'arches s'étaient effondrées dans une mer trop chaude et il fallait trouver une autre technique pour créer des îles artificielles qui soutiendraient les piles. Il voulait désormais consacrer toute son énergie à ce grand œuvre. Si seulement Lien Rag vivait. Lui aurait su comment venir à bout de ces difficultés. Lui aussi aurait pu devenir un ami, mais ils s'étaient toujours méfiés l'un de l'autre.

CHAPITRE XI

Le silico-car avait été offert à Floa Sadon par Yeuse au nom du Président Kid, et depuis la jeune femme l'utilisait fréquemment. D'autres modèles avaient été importés mais en quantité réduite, la Transeuropéenne ne pouvant dilapider ses devises.

Les deux femmes avaient quitté Grand Star Station et suivaient le grand réseau sud. Le silico empruntait une voie prioritaire et de plus Floa possédait une boîte noire qui lui ouvrait toutes les voies, tous les signaux et aiguillages, au détriment des express rapides et trains de marchandises souvent brutalement stoppés pour laisser passer le minuscule véhicule. Aussi loin qu'elle regardât sur la droite comme sur la gauche, Yeuse ne voyait que des rails, des rails, à l'infini. Le plus large réseau du monde sinon le plus long. Des centaines de voies.

— C'est ici que vous avez aperçu F Station, la ville envoyée en déportation ?

— Oui. C'est à cette hauteur. Il y avait des milliers de lumières, des guirlandes, et Lien était sombre. Il n'admettait pas qu'on envoie toute une ville en exil, en déportation. Il m'agaçait un peu avec ses réticences. Moi j'avais envie de lui.

Soudain le silico-car se déporta sur la gauche,

balançant sur les dizaines d'aiguillages qu'ils durent franchir pour aboutir à un tout petit réseau de quatre voies.

— Dans le temps il n'y en avait que deux et on les avait construites au fond d'une tranchée. Depuis la glace a baissé de niveau, on a nivelé et on a doublé les rails. On a remis en exploitation une ancienne mine de fer. Le gratte-ciel qui montait du sol ancien et dont le dernier étage émergeait dans le coin a été rasé, et pour le retrouver il faudrait d'anciennes cartes.

— Qui a ordonné de le raser ?

— Est-ce que je sais ?

— Tu es en mesure de savoir, dit Yeuse doucement.

— Peut-être la Sécurité ferroviaire... Cette résurgence du passé, du béton, était en infraction avec les lois de la C.A.-N.Y.S.T. et nous y avons remédié.

— Les marginaux qui habitaient ?

— Ils ont vingt ans de plus et ils se sont rangés.

— C'étaient tes amis.

— Oh ! non, je me servais d'eux pour me procurer des plaisirs interdits, de la drogue, des satisfactions érotiques. C'est grâce à eux que je me suis fait mon premier Roux. Gavé d'hormones qui n'étaient pas très au point à l'époque, si bien que ce fut assez décevant...

Yeuse voyait Jdrien, nu avec cette fourrure qui tapissait son ventre, ses cuisses. Son sexe long gainé de la même fourrure cuivrée et dont jaillissait au moment de l'érection une tige d'un rouge sombre. Elle détourna la tête pour cacher son trouble. Quand reverrait-elle le fils de Lien Rag, quand le sentirait-elle en elle, la dilatant comme aucun amant ne l'avait fait jusqu'alors ?

— Pas des amis, et ils se sont dispersés. Je n'ai jamais eu la curiosité de les faire rechercher. A quoi bon ?

— Cette Ariel...

— Une garce qui essayait de me faucher Lien Rag. Elle avait des drôles de seins qui rebiquaient vers le ciel. Je la connaissais bien, on s'était même caressé car ses seins me fascinaient. Ils ont parlé un peu mais je ne pense pas que ce soit elle qui ait provoqué l'éveil de ce fameux gène d'attente chez notre ami... C'était le hasard, cette rencontre, rien de plus.

— Pas tellement de ta part. Tu l'avais invité, emmené avec toi.

— Juste pour faire l'amour avec lui. Juste ça.

— J'ai été sincère avec toi, Floa, je ne t'ai rien caché. Je t'ai dit que Lien Rag pensait lui-même être conditionné, programmé, ou prédestiné selon l'idéologie, la science ou la religion. On ne peut dire encore si c'est une question purement scientifique. Il s'agit d'un endoctrinement enfoui en lui par toute une généalogie d'ascendants... Ou il était marqué du sceau d'une divinité et cela expliquerait Jdrien. Mais je me refuse d'y croire. Je suis athée et le merveilleux ne peut exister.

— Je ne te cache rien et j'essaye de reconstituer cet itinéraire du premier jour, de la première nuit, mais je ne suis pas certaine que tu aies raison. Pourquoi ce jour-là plutôt qu'un autre antérieur ou postérieur ? Et Skoll, tu iras demander à Skoll ?

— Plus tard.

Elle évitait de mentionner le journaliste africanien Assoud. Lui irait trouver Skoll en Zone Occidentale.

— Le Roux qui était présent dans cette réunion, c'était bien un Roux ?

— Ou alors il était bien imité, dit Floa.

Le silico s'immobilisa sur une voie d'attente et Yeuse ne vit qu'une plaine de glace teinte en rouge à cause des rejets de la mine de fer non loin de là.

— Le lendemain, Lien Rag se voyait accorder un vapeur ?

— Oui, un LB 117. J'avais insisté auprès de mon père et il était intervenu auprès de la Sécurité que l'on appelait militaire à l'époque, à cause de la guerre.

— Si on allait voir ? Nous avons de bonnes combinaisons. On peut marcher un peu.

— C'est dangereux.

— Il n'y a personne. Peut-être trouverons-nous quelque chose d'intéressant.

Elles s'éloignèrent des voies. Floa avec réticence, Yeuse plus librement mais non sans l'habituelle petite angoisse au cœur. Pourtant au cours de sa vie elle avait connu des aventures bien plus dangereuses, mais chaque fois qu'elle devait quitter les rails du regard c'était la même chose, et Floa Sadon était encore plus inquiète.

— Il vaudrait mieux retourner maintenant. Tu vois, on a placé une voie étroite pour que les wagonnets aillent déverser les déchets de la mine. Il n'y a plus rien.

— Un gratte-ciel qui descendait jusqu'au sol ancien ? Combien d'étages ?

— Je ne sais pas.

— Toute une ville donc là-dessous.

— Bien sûr puisqu'il y a cette mine. Un grand filon d'oxyde ferrique. Un amalgame compact de véhicules d'autrefois, de ferrailles.

— Lien Rag a parlé de quatre-vingts étages dans ses notes.

— Possible.

— Dans les deux cent cinquante mètres donc ? Les marginaux disaient qu'au-delà du dixième, impossible d'aller plus bas à cause d'une glace extra-dure.

— C'est une fois dedans, fit la Présidente officieuse de la Transeuropéenne, que je lui ai parlé de la Voie Oblique. Et je ne sais encore pourquoi. Quelque chose de plus fort que moi m'a fait poser la question alors que je pensais à tout autre chose, et pour être franche à son sexe. Je venais de l'embrasser de telle façon qu'il bandait et je roulais mon ventre contre lui. On s'était dévêtu à cause de la chaleur, peut-être trente degrés qu'il faisait. Ces Marginaux de luxe, comme les appelait Lien, avaient de quoi se chauffer. J'étais prête à tout et voilà que je pose cette question sur la Voie Oblique.

— Qu'a-t-il dit ?

— Que pour la deuxième fois de la journée on la lui posait.

— Cette Ariel n'appartenait pas à la communauté du gratte-ciel.

— Exact. Elle venait d'une ferme voisine où elle partageait la vie d'une groupe de végétariens je crois. Ils vivaient nus dans une serre où poussaient uniquement des céréales. Quand elles étaient en herbe, ils broutaient comme des ruminants à quatre pattes. Toute une mascarade grotesque.

— Peut-on retrouver cette ferme ?

— Pourquoi pas, mais retournons au silico. Je ne suis pas à mon aise depuis qu'on s'est éloigné de lui.

Avec un soupir de soulagement Floa dégrafa sa combinaison et prit un manuel d'*Instructions ferroviaires*, une édition que Yeuse n'avait jamais vue. A chaque page était jointe une minuscule carte magnétique qu'on introduisait dans l'ordinateur de bord qui, après sollicitation d'une banque de données, fournissait des renseignements méticuleux.

— Il y a toujours une ferme et une voie de raccordement, on peut aller voir...

La voie faisait quatre kilomètres et était si verglacée que Floa dut utiliser le laser de bord pour la dégager. Bientôt elles aperçurent la serre effondrée, quelques wagons délabrés. Des corbeaux s'envolèrent à leur approche et des animaux furtifs décampèrent sur la glace, de gros rats et peut-être un loup.

— Tout ce qu'il reste.

— On va voir ?

— Tu es folle. Je peux approcher à quelques mètres mais pas question de descendre.

Yeuse se rendit vite compte que l'endroit avait été volontairement détruit, certainement par un ou deux missiles portatifs. Elle confia ses impressions à Floa qui parut approuver.

— Je vais voir.

— Je te l'interdis.

— Mais je ne risque rien.

Yeuse s'équipa, enfila des bottes protectrices à cause des verres et des aluminiums tranchants et passa par le petit sas. Floa la vit s'engager entre les décombres, approcher des wagons qui avaient servi d'habitation et de remise. Au bout de quelques minutes, ne la voyant pas réapparaître, elle donna de petits coups de sirène et l'ambassadrice sortit d'un wagon, agita la main et passa dans un autre. Elle revint avec des taches noires sur sa combinaison blanche.

— Ils produisaient leur propre courant à partir d'un digesteur de matières organiques. Des débris végétaux. Ils avaient installé un énorme projecteur qui ressemblait à un soleil.

— Des Rénos, sursauta Floa.

— Peut-être. Ce qui explique la destruction de la ferme.

— Ariel, une Réno qui aurait servi d'élément d'éveil à Lien ? Je n'y crois pas. Ils se sont vus à peine quelques minutes. Elle a bien essayé de l'entraîner chez elle mais je suis intervenue. Je n'allais pas me laisser souffler ma conquête.

Yeuse regardait l'ancienne ferme de culture, hésitait à poser sa question.

— Pourquoi as-tu invité Lien Rag ce soir-là ?

— Je l'avais vu dans la journée. Précisément

quand il revenait de la Sécurité après sa rencontre avec le lieutenant Skoll. Il était avec un ami et je l'ai remarqué. J'étais avec deux servantes et je venais de faire des achats. Je l'ai ensuite regardé longuement depuis une fenêtre du palais de mon père.

— C'était un convoi fabuleux ?

— Une pâtisserie sur rails, une mosquée… Quinze voies, deux locomotives énormes. Deux locos-vapeur plus des moteurs électriques, sinon on n'aurait jamais pu tirer une telle masse. C'était la mode des palais et chaque gouverneur venant à Grand Star Station souhaitait que le sien soit le plus fou, le plus majestueux. Il y avait alors une guerre des gouverneurs et chacun dans sa Province était un véritable potentat. Mon père n'échappait pas à la règle.

— Lien Rag, murmura doucement Yeuse, c'est de Lien Rag que je veux que tu me parles.

— Quoi dire ? Je l'ai vu, j'ai eu envie de baiser avec lui et j'ai essayé de savoir qui il était. J'ai appris que c'était un glaciologue, et qu'il allait faire des recherches pour expliquer l'accumulation des glaces dans un endroit situé précisément dans la Province de mon père, Bia. Tout a commencé par cette invitation, puis le départ discret pour cette partie qui se tenait ici.

— Tu as eu l'impression d'agir selon ta volonté ?

Eclatant d'un rire sonore, Floa repartit en marche arrière jusqu'à l'aiguillage où elle pourrait seulement faire demi-tour :

— Je n'obéis qu'à ma volonté et mes instincts. J'ai eu envie de lui, c'est tout. Ne va pas t'imaginer que quelque chose en moi s'est brusquement réveillé pour me dire que c'était lui l'homme providentiel ou je ne sais quoi. Moi je ne crois pas à cet élément extérieur qui est venu chatouiller un gène en attente, mais enfin puisque vous cherchez dans cette direction.

74

— Pourquoi dis-tu « vous cherchez » ?

— Tu t'imagines que j'ignore tes rencontres avec cet Africanien Assoud ? Un beau type, d'ailleurs. Est-ce qu'il en a une en rapport ?

Yeuse haussa les épaules, agacée que Floa soit au courant de ses rencontres avec le journaliste qui dirigeait la commission d'enquête. Mais évidemment elle était au courant de tout.

— Tu vas encore me compliquer la vie, soupira Floa. On me conseille de demander ton renvoi parce que tu exagères... Mais je tiens à te garder près de moi. Je sais que tu te méfies mais n'es-tu pas ma seule amie ? Et puis nous avons eu un homme en commun autrefois.

Elle ralentit et à distance déplaça l'aiguille et la contre-aiguille donnant accès à une voie de garage.

— C'est ici que nous avons fait pour la première fois l'amour, dit-elle en se tournant vers Yeuse.

Elle attira Yeuse qui se laissa aller sans trop se demander si c'était par calcul ou véritable désir.

CHAPITRE XII

Kob et Faro échangèrent un regard qui exprimait leur totale incompréhension, en même temps qu'un respect admiratif sans réticence. Assis sur son siège spécial, c'est-à-dire qu'en fait pour le cul-de-jatte, il se trouvait presque debout, Gus pianotait avec ardeur et les renseignements s'alignaient sur l'écran. Il les mémorisait provisoirement pour les réutiliser dans les secondes qui suivaient.

— Ça me donne soif, dit Kob. C'est l'immensité de toute la Dépression Indienne qu'il parcourt ainsi, tranquillement installé devant son clavier. Non mais tu te rends compte, Faro ? Je vais aller nous chercher une petite bière.

— Ici tu n'en trouveras pas.

— J'ai vu un bar pas loin, je reviens.

Gus venait de passer l'épreuve d'un intermémo et estimait avoir eu de la chance, car le coordonnateur était habile et intelligent et sur l'écran ses questions avaient été sèches et précises. Gus avait répondu très vite et sa demande suivait maintenant une autre filière, celle des très vieux computers d'une génération presque oubliée. Des appareils qui avaient survécu à la Grande Panique au début de l'ère glaciaire et qui, faute de pièces détachées, avaient donné de piètres résultats. Mais c'est avec eux qu'on avait pu couvrir le monde de rails, aller jusque dans des endroits aussi pourris que la Dépression Indienne traquer les phoques et les baleines terrestres.

Il franchit un deuxième intermémo sans trop perdre de temps mais son compte à rebours n'indiquait plus que cent trente-cinq secondes et il se doutait que tout allait se compliquer bientôt.

Kob revenait avec des boîtes de bière isothermes.

— Gaffe, elles sont consignées. J'espère que la bière est bonne car l'emballage vaut deux fois plus cher. Bon Dieu, on en est arrivé à ça... On paye plus cher ce qui est autour que ce qui est dedans.

— Tu préférerais un glaçon de bière ? fit Faro en ôtant le joint de garantie.

Il regarda le liquide ambré, y goûta avec prudence puis rassuré commença de boire à petits coups.

Sans un mot, Kob alla déposer la troisième boîte sur la console, sous le nez de Gus et revint vers son copain.

— A un dollar soixante-dix *cents* la seconde, il va pas en perdre dix à boire sa bière, remarqua Faro. Ça ferait cher la boîte.

— J'ai toujours pensé que tu avais un esprit de petit comptable. Tu regrettes ton fric ?

— Non. Mais je connais Gus.

Effectivement l'infirme oubliait tout ce qui l'entourait. Les secondes s'écoulaient sous le cercle vitré de son compteur à rebours. Il fallait qu'il réussisse et à cause de ces coordonnateurs, manipulateurs et autres traiteurs de données, il prenait un retard considérable sur ses prévisions. Cinq cents dollars dont une bonne partie ne lui appartenaient pas. Il ne pourrait jamais recommencer, pas avant des mois.

Et puis la tuile arriva soudain. Un informaticien confondit les noms et s'embarqua sur Conected Station qui existait vraiment et avant que Gus ait pu intervenir il commuta sur un nouveau réseau, et s'occupa de tout autre chose si bien que Gus dut revenir en arrière, remonter jusqu'au précédent intermémo pour exiger une rectification.

— Ça gaze pas, dit Faro. Il a même pas bu sa bière.

— Il ne l'a même pas vue.

— Il transpire à grosses gouttes. Pourtant on peut pas dire qu'ils surchauffent dans ce hall.

— Là-bas dans sa cage en verre c'est différent. Bon Dieu si jamais ça marche pas il va en faire une maladie. Voudra nous rembourser.

— Va se crever au travail.

Ils se regardèrent du coin de l'œil :

— Vaudrait peut-être mieux filer. On le retrouvera bien un jour ou l'autre.

— Ouais... Paraît qu'y a un train qui file pour la Mikado avec un chargement de vieux meubles. On peut trouver à se planquer là-dedans. J'ai toujours eu envie de faire un tour dans La Mikado C°. Les agents du rail sont chouettes avec des culottes bouffantes et des drôles de casquettes. C'est le royaume de la dinguerie.

— Va pour la Mikado.

Mais Kob paraissait regretter de partir et il se retourna pour regarder Gus.

— Tu comptes pas pour lui en ce moment.

— Et s'il réussit ? Il aura besoin de nous pour aller voir cette Concrete Station.

— Y réussit pas et ça se voit. Dans une minute maintenant faudrait que le nom sorte avec l'indication du réseau sinon c'est foutu.

Kob hocha la tête et suivit son ami. Ils se dirigèrent vers la gare de marchandises. Silencieux l'un et l'autre, ils entrèrent dans un minable mastroquet pour boire de la mauvaise bière en attendant le train de vieux meubles.

Gus n'avait pas perdu de temps en protestation. Tout ce qu'il pourrait faire c'est porter réclamation et demander le remboursement des secondes perdues à cause de ce Conected Station. Et d'un technicien stupide qui ne présentait même pas ses excuses sur l'écran, mais qui fouillait dans toutes sortes de mémoires plus ou bien stockées dans son central. Il devait avoir quelques difficultés avec des bandes usées, détériorées, et l'écran affichait en permanence la formule habituelle : « Recherche en cours, nous vous demandons de patienter. »

Un dollar soixante-dix *cents* la seconde et on voulait qu'il reste calme. Un dollar soixante-dix *cents*, il lui fallait combien d'heures de travail pour les gagner ? Avec la Transit, d'accord, au dépeçage, d'accord, mais ici, dans Stanley Station ? On lui paierait une journée de grattage de la glace deux à trois dollars plus un bol de soupe et une galette de soja au fromage. Gratter la glace qui se formait aux confins, à l'intérieur des dômes hémisphériques. Du givre dans les parties les plus mal chauffées. Oui, trois dollars et il devrait se loger, pas trop loin, car il ne pouvait pas marcher sur ses mains à travers la cité jusqu'au wagon réservé aux traîne-wagons au fin fond de la gare de marchandises. Les gens se bousculeraient pour le voir comme d'habitude et il y avait trop de détours à faire sur les quais noirs de monde. A tout casser il économiserait le prix d'une seconde d'ordinateur chaque jour. Une seconde ! Trois cents jours pour se payer cinq minutes de recherches, une année de privations.

L'écran clignota, la formule d'attente disparut et il consulta son compte à rebours. Il ne lui restait que vingt-deux secondes très exactement. Mais ce n'était qu'une fausse joie et la formule d'excuse revint. Il faillit hurler de rage impuissante, vit la boîte de bière et la saisit si fort qu'une partie du liquide tomba sur le clavier et ses vêtements. Il regarda autour de lui avec inquiétude. Si quelqu'un avait vu la bière tacher la console il aurait une amende. Mais on ne faisait pas attention à lui.

Et soudain des mots se formèrent sur l'écran avec une lenteur désespérante, comme si à l'autre bout du réseau un appareil s'essoufflait ou un claviste ivre ne savait plus ce qu'il faisait. Mais il n'y avait que des machines vétustes :

CONCRETE STATION DIFFICILE A SITUER SUR DEPRESSION INDIENNE.
ARCHIVES MEMORISEES IMPUISSANTES VOIR ARCHIVES MANUELLES DE KAR...

L'écran s'éteignit et Gus poussa un hurlement qui se répercuta dans le hall et toutes les têtes se tournèrent vers lui. Un vigile accourut.

Il avait épuisé son temps. Il lui restait un peu d'argent et il se retourna vers l'endroit où les deux autres l'attendaient mais ils avaient disparu.

— Voyageur, que se passe-t-il ? demanda le vigile.

— Rien... J'ai fini mon temps.

L'homme se rendit compte que Gus n'avait pas de jambes, le détailla avec un soupçon grandissant, flairant le traîne-wagon sous les vêtements de qualité médiocre même s'ils étaient propres.

Gus descendit de son siège et traversa le grand wagon pour aller vers le guichet où il avait négocié son temps d'utilisation :

— Je veux en reprendre pour quatre ou cinq secondes.

— Impossible, voyageur. Il faut pour ces données-là acheter au moins cinq minutes pour que ce soit rentable pour ma société. Je suis désolée.

— Non, dit Gus, vous vous en foutez... Je pose

80

réclamation car un coordonnateur d'intermémo s'est fichu dedans et m'a fait perdre une minute.

— Quel intermémo?

— Le sixième en ordre logique... A moins que ce ne soit le septième.

Elle prit un air résigné :

— Le sixième ou le septième?

— L'un des deux, vous devez trouver. Je veux signer la réclamation. Une minute cent dollars... Je tiens à rentrer dans mon argent sur-le-champ.

— Il faudra une enquête.

— Ce type m'a donné un faux nom, Conected Station au lieu de Concrete Station. Il m'a fait perdre un temps précieux juste comme j'allais obtenir des précisions. A la fin l'écran m'a répondu que je devais m'adresser aux archives manuelles de Kar... quelque chose. Pouvez-vous me dire ce que ça peut signifier?

— Il faut vous adresser à un autre guichet pour ce genre d'identification. Ça vous coûtera cinquante dollars si les recherches sont trop ardues. Les archives manuelles sont pour la plupart du temps dispersées.

— Je veux signer ma réclamation.

Le vigile arriva alors avec la boîte de bière qu'il tenait d'un air dégoûté :

— Il a tout poissé le clavier. Va falloir l'envoyer à la révision.

L'employée s'épanouit dans un sourire revanchard :

— Vous entendez? Vous avez mérité une forte amende si le clavier doit être révisé. Maintenez-vous votre réclamation?

Gus leur jeta un regard écœuré et descendit de son siège avec une lenteur hautaine.

CHAPITRE XIII

Dans le silico-car douillettement aménagé à l'arrière pour ce genre d'activité, Yeuse émergea de cette torpeur agréable qui suivait le plaisir.

— Tu ne trouves pas qu'il fait froid ?

— Possible que je n'aie pas bien réglé le chauffage. Je vais voir.

Yeuse suivit des yeux la nudité somptueuse de son amie. Floa atteignait une maturité qui sans avertissement risquait de se transformer en formes plantureuses. Les fesses pleines avaient grossi en quelques mois ainsi que les cuisses, et le ventre douillet lui avait paru une sorte d'oreiller confortable, trop confortable.

— Ça a l'air déréglé, dit Floa depuis le poste de pilotage. Je suis pourtant branchée sur le secteur. Je vais relancer le diesel et tout rentrera dans l'ordre.

Le diesel se mit à ronronner et Yeuse revint s'habiller. Floa la rejoignit et lui caressa les reins d'une main langoureuse :

— C'est toujours bien avec toi.

Yeuse se contenta de sourire. Elles enfilèrent leur combinaison.

— C'est un endroit tranquille, on n'a pas été dérangées. Si les journalistes se doutaient… Je crains toujours que des photos scandaleuses ne circulent. On se doute que j'ai des secrets dans ma vie mais on n'est pas sûr. Les Néo-Catholiques m'accusent de tous les vices. On m'accuse d'avoir dévergondé des fillettes.

— C'est faux ?

— Une seule fois. J'ai été stupide, c'était la fille d'un notable que j'ai dû ensuite faire surveiller pour malversation, il s'est vengé.

Et soudain le diesel s'arrêta.

— C'est un peu fort, fit la jeune présidente. Vos machines ne marchent pas très bien, hein, ma vieille ?

— Tu t'en sers depuis que je suis en Transeuro-péenne et tu n'as jamais eu d'ennui.

Floa alla s'asseoir à son poste de conduite et effleura quelques touches :

— Il n'y a pas de courant sur les rails et pas de fuel dans mon réservoir. J'avais ordonné qu'on fasse le plein ce matin et la jauge indiquait que cela avait été fait.

Yeuse rabattit sa cagoule et quitta le véhicule. Elle parut marcher à côté des rails puis revint vers le silico-car.

— Tu as une fuite. Le fuel est tout paraffiné mais il s'échappe du réchauffeur.

— D'accord, mais pourquoi pas d'électricité. Je ne peux même pas obliger cet aiguillage à nous donner la voie.

— Ça ne servirait à rien.

— Nous n'allons pas rester bloquées ici. Il faut que je demande du secours.

Mais elle n'en faisait rien et son visage trahissait un certain désarroi.

— Tu crains les ragots ?

— Nous sommes seules ici sur une voie peu fréquentée. Comme secours je ne peux faire appel qu'aux services des Aiguilleurs et je me méfie d'eux.

— A cause de Vicra?

— Ils estiment que je ne l'ai pas assez couvert. Ils sont très vindicatifs et ne m'ont jamais admise. Souviens-toi des complots dirigés contre moi. Lien Rag a failli en être la victime et ça dure depuis vingt ans.

— Que décidons-nous?

— Il faut que je fasse quelque chose.

— Si j'appelais l'ambassade? proposa Yeuse. Ils se débrouilleront pour faire le nécessaire. Je dirai que je suis seule à bord de ton silico. Tu pourrais me l'avoir prêté. Je serais dépannée assez vite.

— Nous sommes à deux cents kilomètres, n'oublie pas.

— Tant que ça? Nous risquons d'attendre plusieurs heures, jusqu'à la nuit. D'ici là il passera bien quelqu'un?

— Non si la ligne est délestée. Chez nous les véhicules autonomes sont très rares, on dirait que tu n'as jamais été Transeuropéenne.

— On peut toujours utiliser la balise d'urgence. Elle est lumineuse et émet un signal radio.

— Il sera réceptionné par tous les postes de surveillance du coin. Je préfère réfléchir encore un peu à la situation. Je me demande si le délestage et la fuite de carburant sont dus vraiment au hasard.

Elle se retourna et ouvrit un coffre. Il contenait un pistolet laser portatif et une petite carabine à gros chargeur.

— Je me méfie toujours. Tu sais tirer?

— Oh bien sûr, mais tu crains quoi?

— Depuis quelques jours j'ai un pressentiment qu'on va essayer de m'intimider. Je commence à ruer dans les brancards avec des tas de gens, et pour Zeloy j'ai vraiment manifesté mon indignation et surtout ma désapprobation. Passe pour la première mais on n'a pas admis la seconde.

— Les Aiguilleurs ?

— Pas seulement eux.

— Lady Diana ?

— Oui, Lady Diana. Le crime a été ordonné par elle. Je ne le répéterai jamais devant témoin mais entre quatre yeux je peux te le confirmer. Les recherches sur la vie de Lien Rag sont suspectes, interdites. On ne doit pas remuer le passé et surtout risquer d'accéder à certains secrets comme la Voie Oblique. Lady Diana me l'a fait comprendre. Si je n'appartiens pas au Conseil oligarchique à titre définitif c'est bien qu'elle se méfie de moi.

— Tu ne penses quand même pas qu'elle oserait envoyer contre toi... des tueurs ?

— Je ne suis pas seule. Tu es aussi avec moi. C'est scandaleux et on voudra jeter un voile pudique sur les circonstances de notre mort. De la sorte les pistes seront très vite brouillées et ce n'est pas ton ami Assoud qui pourra les remonter. Tu sais que je n'avais pas l'intention de l'expulser. Et je comptais même autoriser ton mari à revenir.

Yeuse regardait par les hublots avec angoisse mais pour l'instant l'endroit était désert.

— De plus le coin a une sale réputation. A cause des anciennes communautés marginales, des Rénovateurs... Nous avons commis une erreur, ma chérie, et je crains que nous devions la payer chèrement. Mais nous défendrons notre peau.

L'écran de la caméra arrière s'illumina soudain et une draisine d'un modèle ancien apparut, roulant lentement.

— Voilà nos assassins.

CHAPITRE XIV

L'écrivain n'était jamais monté dans un engin aussi rapide que le loco-fusée du Président Kid qui fonçait à cinq cents kilomètres heure vers Titanpolis, sur une voie spéciale parmi les convois innombrables qui paraissaient tous faire du surplace.

Il s'était attendu à une seconde expulsion et n'aurait su quelle Compagnie choisir. Et le Kid lui envoyait ce secrétaire administratif, ce véhicule, et le recevait comme un très haut personnage. Il n'y comprenait rien ou bien craignait de trop imaginer au contraire ce qui se passait dans l'esprit du Kid. Ce dernier l'accueillait pour l'envoyer à Kaménépolis reprendre les choses en mains, mais sans qu'il lui soit permis de laisser la station retrouver l'harmonie nonchalante qu'elle connaissait du temps où Yeuse en dirigeait les destinées culturelles.

Tout allait très vite en Compagnie de la Banquise et pas seulement les loco-fusées. Au poste-frontière il avait déjà flairé un air de modernité qui ne se retrouvait nulle part ailleurs et surtout ni en Transeuropéenne ni en Africania. Ces deux Compagnies oscillaient sans cesse entre l'archaïsme le plus rétrograde ou le progrès le plus aliénant sans jamais trouver l'équilibre. Du temps de son exil, il avait été séduit par la vie calme de sa petite station, une vie d'agriculteurs paisibles qui ne se posaient aucune question. Mais au bout de deux années l'ennui l'écrasait, le rendait agoraphobe et pusillanime.

Ici c'était une sérénité pleine de confiance quant à l'avenir qui présidait aux échanges humains, et même l'administration des Frontières paraissait atteinte par ce virus de la compétence aimable. On l'avait empêché de poursuivre son voyage, certes, on était prêt à le remettre dans un train qui irait dans l'autre sens mais avec beaucoup de civilité.

Le secrétaire lui avait dit quelques mots sans importance et il avait compris que le jeune homme ignorait tout des motifs du Président Kid.

— A-t-il vraiment, comme on le dit, adopté une petite fille ?

— Je l'ignore. Pour l'instant le voyageur Président est seul dans son train privé.

Voilà qui ne manquait pas de l'intriguer. Seul ! Il finit par se souvenir de sa prédiction, lorsque furieux d'être mis en demeure de rejoindre Yeuse là-bas en Transeuropéenne, il avait annoncé au Kid qu'un jour viendrait où il n'aurait plus un seul ami autour de lui. Est-ce que ce jour était arrivé ?

— Qui remplace le grand maître Lichten ?

— Pour l'instant personne. Le voyageur Président assume la fonction de chef de la police ferroviaire.

Voilà qui ne plairait certes pas aux Aiguilleurs et le Kid allait s'attirer des conflits sournois. A moins qu'il n'ait tout prévu.

La loco-fusée s'immobilisa juste en face du train blanc griffé d'or et il n'eut qu'à traverser la largeur du quai pour trouver le Kid dans son bureau.

— Enfin vous voilà. Je suis si heureux de votre

retour. Mais j'ai une nouvelle inquiétante qui vient de me parvenir. Un attentat aurait eu lieu contre Floa Sadon et Yeuse. Je n'en sais pas plus pour l'instant.

CHAPITRE XV

A première vue, Yeuse s'était demandé pourquoi le pare-brise de la grosse draisine, d'un modèle ancien, était noir, puis elle comprit que c'était un blindage et qu'on distinguait à peine les meurtrières de conduite. Le toit formait comme une bosse, un dôme de locomotive, et un rond noir était parfaitement visible.

— Mais c'est un blindé, dit-elle en suffoquant d'indignation stupéfaite, un ancien blindé d'il y a vingt ans qu'utilisaient les gens de la Sécurité militaire.

— Couche-toi, gronda Floa, mais couche-toi et essaye de prendre cette carabine. Les balles qu'elles contiennent sont capables de percer ce genre de blindage en face mais encore faut-il pouvoir viser. Moi je vais essayer de sortir par le sas et d'utiliser le laser, pour autant que le fil me le permette.

Yeuse avait obéi, se retrouvait en partie protégée par la couche sur laquelle elles venaient de s'aimer mais n'importe quel missile la pulvériserait.

— Ils nous savent en panne, sans carburant et sans électricité, eux possèdent un monocylindre vapeur blindé. Je ne pense pas qu'ils osent tirer. Ils vont plutôt nous bousculer, nous écraser. Le silico éclatera comme un œuf. Ce modèle le draisine pèse six tonnes je crois... Il est à la réforme... On a dû le voler dans les stocks de la Sécurité ferroviaire...

— Volé ?

— Je veux dire que ça passera pour un vol. Mais qu'est-ce qu'ils attendent ?

Yeuse tourna la tête vers l'écran du rétroviseur et se rendit compte que le blindé avait stoppé.

— Mais ils doivent manœuvrer l'aiguillage à la main puisqu'il n'y a plus de courant.

— Ce n'est pas la seule raison. Ils auraient dû le faire déjà.

Combien pouvaient-ils être là-dedans, serrés comme dans une boîte de conserve ? Yeuse se souvenait de ces blindés sinistres qui patrouillaient dans les stations d'autrefois, tandis que sur les quais une population terrorisée se hâtait la tête basse.

— Il faut liquider celui qui descendra sans attendre.

— Ecoute, Floa, c'est peut-être ce qu'ils attendent...

— Mon silico-car est connu... Nul n'oserait se ranger ainsi derrière s'il n'avait des intentions douteuses... Je ne pense pas que mon laser soit assez puissant pour atteindre le blindé mais avec ta carabine on peut.

Yeuse releva la tête et se demanda comment tirer si la porte arrière du silico, porte de secours, ne s'entrouvrait pas ? Mais alors le froid pénétrerait dans l'habitacle. Elles ne risquaient rien avec leur combinaison mais cette carabine à répétition, oui. La fine pellicule de graisse des différentes pièces gèlerait et interdirait le fonctionnement.

— J'ouvrirai au dernier moment, dit Floa comme si elle avait deviné ses pensées. Il me suffit d'appuyer sur un bouton et la porte s'escamote. Tu essayeras d'atteindre le pilote et le gars du lance-missile, car le moteur est à l'arrière.

Pourquoi lui avait-elle confié l'arme la plus efficace pour se réserver un laser qui ne pouvait être dangereux au-delà de dix mètres ?

Floa ouvrait lentement le sas, ramenait à elle le fil du laser relié aux batteries. Combien de décharges pourrait-elle obtenir ? Une demi-douzaine avant que les batteries soient vidées. A partir de là plus question d'envoyer un message radio.

— Tu ne demandes pas du secours ? cria-t-elle avant que Floa ne disparaisse dans le sas minuscule, prévu pour une personne debout et non accroupie.

— Inutile, nous serons brouillées... Ils doivent avoir disposé d'autres véhicules qui produiront tellement de parasites que nul ne nous entendra. Voilà pourquoi ils attendent. Ils veulent être certains que personne ne viendra et leurs véhicules disposés sur le petit réseau veillent au grain...

— Mais c'est un complot qui implique une grande organisation presque militaire ?

— Je ne te le fais pas dire.

Puis Floa referma le sas et attendit que l'équilibre air froid air chaud se fasse avant de disparaître à l'extérieur. On ne pouvait la surveiller depuis le blindé et elle pouvait se porter à l'arrière du silico-car sans avoir attiré l'attention.

— Hé ! le bouton il est où ?

Yeuse paniquait alors qu'elle avait déjà conduit un silico-car. Elle se tourna vers le tableau de bord, repéra la touche. Autant se décider tout de suite à affronter le froid pour la carabine. Elle arracha une couverture en grosse laine à la couche arrière, en enveloppa son arme ne laissant dépasser que le canon. La porte arrière, incurvée et en partie opaque, se souleva dans un silence feutré, dégageant un rectangle de cinquante centimètres de haut. Malgré la combinaison elle enregistra la gifle glacée. Soixante-quinze degrés celsius de différence entre l'intérieur et l'extérieur, de quoi paralyser certains appareils délicats. On ne devait ouvrir la porte arrière privée de sas qu'à l'abri des stations pour charger et décharger le silico.

Et aussitôt l'endroit cessa de faire cage de Faraday et Yeuse put entendre la voix de Floa dans ses écouteurs latéraux tissés en même temps que la cagoule.

— Je vais essayer de paralyser la boîte d'aiguillage afin qu'ils ne puissent plus l'utiliser. Ainsi déjà la thèse de l'accident ne tiendra plus.

— Ils risquent d'être furieux.

Pouvaient-ils capter leur conversation? Elle n'apercevait aucune antenne extérieure.

— Attention, la porte latérale du blindé s'ouvre... Tu vois ça de ton poste?

Yeuse se retourna vers l'écran mais secoua la tête puis précisa à voix basse:

— Non.

— C'est un trou d'homme. Il faut en sortir à quatre pattes. Tu dois descendre ce type sans attendre.

— Je... Une ambassadrice tuant de sang-froid un bonhomme qui jusque-là ne lui a rien fait, voilà de quoi créer un scandale mondial... Je suis désolée, Floa, mais je crains de ne pouvoir faire ça.

— Tu es stupide... Je vais essayer de l'avoir avec le laser puis je détruirai la boîte.

Yeuse n'avait plus de viseur mais sa carabine resterait efficace malgré la couverture qui la dissimulait tant qu'elle prendrait pour cible la draisine blindée.

— Le voilà.

L'homme gardait sa position à quatre pattes, comme incapable de se redresser après avoir franchi

92

le trou d'homme. Il avançait très vite vers l'aiguillage.

— Pas d'armes apparentes, dit Yeuse.

— Qu'en sais-tu ? Il peut avoir des grenades quelque part.

L'inconnu portait une combinaison grise d'une seule pièce, assez récente de conception. La visière était ombrée, ce qui empêchait de distinguer le visage. Il était déjà à l'aiguillage, ouvrait la boîte isolante qui protégeait le mécanisme manuel du froid. Une manivelle verticale très démultipliée.

Floa envoya une première décharge qui atteignit la glace à quelques pas de l'homme qui sursauta et se déplia instantanément. Une nouvelle décharge l'atteignit aux cuisses et il y porta instinctivement les mains tandis qu'une vapeur blanchâtre sortait des deux déchirures. L'humidité interne de la combinaison se vaporisait sous l'action du froid et soudain Yeuse vit un reflet rouge dans ces jets blanchâtres. L'homme était blessé, reculait vers le blindé en secouant la tête comme s'il suppliait Floa de l'épargner.

Une troisième décharge fusa mais n'atteignit même pas la boîte de l'aiguillage et Floa se replia vers le sas du silico.

Yeuse aurait pu abattre l'inconnu mais elle ne put s'y résoudre. Il disparut sur le côté du blindé. Il avait laissé de minuscules glaçons de sang congelé sur son parcours et elle pouvait en apercevoir plusieurs.

— Pourquoi n'as-tu pas tiré ?

— Je ne pouvais...

Le blindé envoya un missile juste à l'arrière du silico. Une charge faible qui n'atteignit pas le véhicule mais souleva un raz de marée de glace. Une congère se forma, haute de deux mètres et masqua tout l'arrière, envahissant même l'intérieur par l'ouverture pourtant restreinte.

— Je n'ai plus de jus.

Sans s'attarder dans le sas Floa la rejoignait. Elle avait jeté le laser avec une rage contenue et prenait la carabine à répétition.

— Sans laser, on ne peut même pas pratiquer une ouverture dans cette glace.

Yeuse regarda autour d'elle et aperçut la pelle pliante rangée dans son logement sur la droite. Elle rampa jusque-là et attaqua la congère avec une énergie presque haineuse. Peu disposée à se faire tuer aussi bêtement. Ils ne les auraient pas comme ça.

— Elle fait au moins deux mètres d'épaisseur, dit Floa. Il va falloir que j'aille de nouveau à l'extérieur.

— Je vais y arriver.

— Pendant ce temps ils ont envoyé un autre type pour manœuvrer l'aiguillage. On devrait sentir le tremblement des rails quand le blindé s'engagera.

Floa recula pour passer le sas et jura :

— Il est bloqué... De la glace est arrivée jusque-là. Je vais essayer le laser... Les batteries se sont peut-être rechargées.

Elle obtint un court rayon qui lui permit de dégager les coulisseaux.

— Trop tard, le type est en train de rentrer dans le blindé et l'aiguillage est ouvert.

De dépit elle tira une rafale dans la boîte mais ça ne servait à rien. Yeuse creusait toujours son tunnel, devait maintenant s'y engager à moitié pour poursuivre à coups de pelle.

Comment avait-il pu faire pour qu'un seul missile provoque une congère aussi épaisse ? Il fallait quelqu'un de particulièrement bien entraîné pour réussir un coup pareil. C'était une technique nouvelle inventée durant les dernières révoltes de la faim, pour permettre aux forces de l'ordre de progresser à l'abri. Les blindés établissaient ainsi à coups de missiles spéciaux des sortes de chicanes de glace à travers lesquelles ils se faufilaient, couverts par les commandos qui, eux, étaient à pied.

— Ils approchent.

Effectivement les rails de la voie de garage frémissaient sous la masse du blindé et Yeuse continua avec une sorte de désespoir, sans trop savoir pourquoi puisqu'elle n'avait même pas d'arme.

Floa tirait, lentement au coup par coup en essayant de viser toujours le même endroit, à hauteur présumée du visage du pilote. Elle espérait qu'une balle sur cent pénétrerait par la meurtrière et ferait éclater la tête de cet homme. Elle s'exaltait à cette image sanglante.

Et soudain la congère parut s'effondrer. Yeuse croyait être à l'origine de ce phénomène jusqu'à ce que Floa lui crie dans ses écouteurs qu'ils attaquaient la glace avec un puissant laser.

— Méfie-toi si jamais ta combinaison est brûlée je ne pourrai pas t'aider à la réparer. Replie-toi, planque-toi, si tu n'arrives pas à sortir.

Yeuse rampa en arrière voyant avec angoisse la congère perdre de son épaisseur et une clarté glauque salir la blancheur de la glace.

— Surtout ne reste pas à l'intérieur. Ils vont tout écraser.

CHAPITRE XVI

Elle ne savait plus si elle devait rester à plat ventre ou se rouler en boule, reculer encore vers l'avant au risque d'être refoulée par le choc, coincée par la masse du moteur contre lequel elle serait broyée ou essayer de se faire la plus plate possible, pensait avec un reste désespéré d'humour que ses fesses trop cambrées risquaient d'être laminées. Une silhouette sans fesses, toute droite, de quoi ne plus attirer un seul regard de convoitise.

Elle roula sur le côté vers les montants en fibres épaisses de carbone. Le verre de silice allait éclater, envoyer des éclats un peu partout, moins dangereux que le verre ordinaire ou l'acier mais coupant néanmoins.

— Yeuse? Je t'en prie, sors.

Floa remontait dans le sas mais celui-ci s'était à nouveau coincé.

— C'est une saloperie, ton bidule... Ah! vous pouvez être fiers de vos modèles, là-bas dans la Banquise.

Yeuse sentit une fureur criminelle l'emplir. Floa n'en était pas l'objet direct mais allait servir d'exutoire.

— Tu en étais contente jusque-là... Et en Transeuropéenne vous n'êtes même pas capables de créer. Quand on reçoit un cadeau on ne le critique pas... Surtout après en avoir été satisfaite durant des mois.

Elle regardait les montants en fibres de carbone se demandant s'ils résisteraient.

— Tu te rends compte ? On est en train de s'engueuler alors qu'il approche.

Il y eut un choc mais léger et les restes de la congère s'effondrèrent d'un coup, laissant entrer le jour crépusculaire très vite chassé par le mufle noir du blindé s'encastrant dans l'arrière du silico. Il y eut des craquements, des éclats qui volèrent mais peu et d'un coup le véhicule commença d'avancer sous la lente poussée.

Floa se jeta à l'intérieur.

— Je n'ai plus de chargeur... Ils sont quelque part sur ta droite sous mon siège... Une boîte rouge.

— Je la vois, dit Yeuse. Tu aurais dû rester à l'extérieur et essayer de filer en dehors du réseau.

— Ils m'auraient tirée comme un rat et tu sais que ce genre de fuite est sans espoir... Je manque d'entraînement, j'ai pris du poids et je n'aurais pas couru deux cents mètres. Je préfère rester ici.

— Ils vont nous pousser jusqu'à l'autre aiguillage de sortie. Le silico basculera et nous serons coincées dans les débris. Ils nous écraseront comme ils voudront.

— Les chargeurs.

Yeuse rampa et sa main atteignit la boîte rouge qui s'avéra trop lourde. Elle dut se servir des deux mains pour l'attirer vers elle.

— Je vais t'en passer... Tu as atteint quelque chose ?

— On peut tirer d'ici. On peut s'approcher, et en se redressant contre l'avant du blindé enfiler le canon dans la meurtrière et vider le chargeur... Passe-moi la boîte... Il faut remplir les chargeurs.

97

— Quoi ?

— Bien oui… Je pensais qu'avec deux chargeurs de cinquante ça suffirait.

Yeuse ouvrit la boîte, vit les balles et deux chargeurs vides, commença d'en remplir un tandis que Floa préparait l'autre.

— D'après toi combien jusqu'à l'autre aiguillage ? demanda-t-elle d'un ton faussement désinvolte.

— Un kilomètre.

— Ils vont garder cette petite vitesse ?

— On ne doit surtout pas dérailler avant l'aiguillage sinon l'enquête établirait vite que c'était impossible.

— De toute façon il y aura des anomalies, des indices.

— Ils nettoieront le terrain. Une fois que nous serons écrasées, ils compteront sur le passage d'un train de marchandises pour fignoler le travail. Il doit y avoir un train minier chaque nuit environ, qui profite de l'accalmie relative sur les réseaux pour alimenter des aciéries mobiles qui tournent sans arrêt autour de G.S.S. Le transbordement du minerai la nuit provoque moins d'attente sur les lignes non prioritaires.

— Encore faut-il que nous soyons mortes ou grièvement blessées.

— Ils y veilleront.

Yeuse frissonna et cessa d'enfiler les balles dans le chargeur pour regarder le mufle sombre du blindé.

— Pas en nous tirant dessus.

— Peut-être en nous jetant sous les roues de leur engin.

— Ils feraient ça ?

— Ils nous haïssent. Mets-toi bien ça dans la tête. Ils nous haïssent. Ce sont des Aiguilleurs et il n'y a qu'eux pour oser attenter à ma vie, à la tienne aussi bien sûr.

— Je n'arrive pas à croire qu'on puisse souhaiter ma mort.

— Ils voulaient bien tuer Lien Rag? On a des doutes sur sa mort réelle... Mais qui prouve qu'il est en vie et qu'on ne nous a pas donné de fausses espérances, précisément pour voir ce que nous ferions, en pensant que nous retrouverions des documents accusateurs?...

Yeuse pensait à Sernine qui lui avait raconté que Lien Rag vivait et qu'avec Kurts ils essayaient de suivre la fameuse Voie Oblique. Il ne s'était pas profondément engagé ni compromis en disant ce que n'importe qui pouvait dire de Lien Rag. Il avait promis de lui fournir d'autres précisions mais, comme par hasard, elles étaient tombées dans un traquenard et il ferait l'économie de confidences supplémentaires. Alors tout ce qu'il avait raconté sur la mise au pas des Aiguilleurs, des mensonges? Peut-être était-il lui-même Aiguilleur, cette caste-là essayant toujours d'être choisie pour de hautes fonctions.

— Je vais voir ce que je peux faire, dit Floa qui avait remis son chargeur en place.

Yeuse dut se coller à la paroi pour la laisser passer et quand elle fut à sa hauteur Floa l'embrassa tendrement sur la bouche :

— On s'en sortira... Ce serait follement romantique d'y laisser notre peau ensemble mais je préfère tout de même penser qu'on en réchappera.

— Romantique et scandaleux, murmura Yeuse.

— J'espère que ma mort sera un scandale. Toute mort devrait être considérée comme un scandale. Mais le plus tard possible.

Elle avança à quatre pattes sur la couche puis se redressa sur ses genoux. Yeuse vit ses mains gantées palper le mufle du blindé, comme si elle cherchait un endroit vulnérable pour le déchiqueter avec ses ongles. Lorsqu'elle se mit debout le haut de son corps disparut à ses yeux.

S'attendant à la rafale elle se crispa mais rien ne vint troubler le grondement régulier du blindé. Le monocylindre à vapeur fonctionnait avec une constance admirable et elle pensait qu'on avait dû le réparer, l'entretenir en parfait état de marche pour cet attentat. Ce qui prouvait la préméditation sur des semaines, voire sur des mois.

Floa s'accroupit à nouveau et revint vers elle :

— Ils ont tout prévu les salauds ! Les meurtrières sont fermées et ils utilisent une caméra de la tourelle pour surveiller leur route.

— C'est une tourelle ?

— Elle doit être bloquée.

— Si on mettait le feu ?

Floa la regarda, comme frappée par la question et se rua vers le poste de pilotage du silico.

— Si c'est une ancienne tourelle mobile il y a forcément moyen de faire couler un liquide enflammé dans le cercle qui recevait le gros roulement à billes, à moins qu'ils ne l'aient soudé.

— Je ne crois pas, cria Yeuse.

Et si les autres suivaient leur conversation radio ? Avec les combinaisons on ne pouvait communiquer qu'ainsi.

— J'ai une réserve de vodka. Quelques flacons. Quand j'emmène une bonne fortune avec moi certains ont besoin d'un petit remontant ensuite. Tu sais bien que je suis une dévoreuse sans pitié.

Elle sortait les flacons d'un coffret situé entre les deux sièges avant.

CHAPITRE XVII

Au bout de trois jours il décida de ne plus gratter le givre aux confins de la coupole de Stanley Station. On ne le payait qu'un dollar par jour et on ne le nourrissait que de déchets, une bouillie infecte de farine bizarre avec quelques filaments de viande de baleine qui donnaient un goût qu'il ne supportait pas à la nourriture.

Il préféra se produire sur les petits marchés des quais excentriques, marchant sur les mains, grimpant le long des piliers qui soutenaient une ancienne verrière et là, se suspendant comme un singe, il se balançait avant de lâcher prise et se raccrochait in extrémis quelques mètres plus loin. Quand il redescendait il faisait la quête avec une assiette en plastique entre les dents.

La disparition de Kob et Faro l'avait peiné au début, lorsqu'il avait pensé qu'ils avaient préféré le quitter de crainte de devoir lui prêter encore de l'argent. Mais par la suite il avait plutôt estimé que c'était par délicatesse qu'ils s'étaient éloignés, ne voulant pas qu'il s'épuise à les rembourser.

Il gagnait bien mieux sa vie, jusqu'à cinq dollars sur certains marchés où s'approvisionnaient les habitants les moins aisés. Pour trouver du travail dans

Stanley Station c'était pratiquement impossible pour ceux qui ne possédaient aucune qualification. On n'y retrouvait que des employés de bureau pour le plus grand nombre et des commerces. Pas d'industrie à l'extérieur, quelques serres pour des produits rares et très chers. Les marchés étaient approvisionnés par le vol dans la gare de marchandises, les produits douteux et surtout ce que la Transit récupérait sur les lieux de déraillements ou de collisions et revendait. Dès qu'il l'avait su, Gus avait bien essayé de rentrer en contact avec les agents de la Transit, mais ceux-ci ne pouvaient rien pour lui. Il devait continuer à se produire sur les croisements de quais. Il s'efforçait de ne dépenser qu'un dollar pour en économiser entre trois et quatre. De toute façon il lui faudrait bien quatre mois pour réunir la somme nécessaire.

Il passait ses après-midi à rechercher dans de vieux indicateurs ce que pouvait bien signifier KAR... Il avait trouvé plusieurs stations de la Dépression Indienne qui commençaient par ces trois lettres, mais aucune n'avait une bibliothèque d'archives manuelles.

A la Centrale des computers on commençait de se fatiguer de lui. C'était vraiment un homme très différent de celui des marchés, et les gens qui travaillaient là commençaient eux aussi de se croire supérieurs, de former une caste un peu méprisante. On lui avait donné quelques renseignements mais si peu qu'il avait ressenti ces réponses comme des aumônes.

Par contre à la gare fédérale il réussissait mieux avec les administratifs et ils cherchaient pour lui cette fameuse Concrete Station dont personne n'avait jamais entendu parler.

Il y avait aussi la bibliothèque fédérale, mais il fallait laisser une caution si importante qu'il n'avait encore pu accéder à ses rayons. Une caution financière ou bien la recommandation écrite d'une personnalité connue, et il ne fréquentait personne.

Pour se loger, il avait trouvé un abri : sous le plancher d'un vieux wagon pourri sous lequel le propriétaire avait établi des cloisons pour diviser l'espace en une dizaine de cellules. On ne pouvait s'y tenir debout mais le cul-de-jatte s'en moquait. Il ne louait ça que deux dollars par semaine et c'était merveilleux. Au marché il récupérait pas mal de nourriture quand les marchands pliaient leurs étals. Surtout du soja, du lait congelé, de la viande de troisième catégorie. Il rapportait le tout à sa voisine qui, moyennant la préparation et la cuisson qui lui laissaient la plus grosse part, lui fournissait ses repas. Désormais il pouvait mettre de l'argent de côté.

Parfois il rencontrait d'autres traîne-wagons et même en abritait un de temps à autre, partageait avec eux le mauvais alcool qu'ils trimbalaient. Mais ils ne savaient pas très bien où se trouvaient Kob et Faro.

— Ils parlaient de la Mikado, lui dit un jour un clochard qu'il avait recueilli et soigné, l'autre souffrant d'une blessure à la main qui ne voulait pas guérir. Mais là-bas ils n'aiment pas les traîne-wagons. Tout est trop organisé et propre.

A chacun Gus posait la question sur cette station mythique, si bien que, sans qu'il s'en doute, on l'appelait Penguin Concrete sur toute la Dépression Indienne. Même des gens qui ne l'avaient jamais vu savaient que Penguin Concrete c'était un cul-de-jatte bizarre, chouette copain mais qui poursuivait un drôle de rêve éveillé. Mais comme la plupart avaient aussi leur chimère, c'était avec une affectueuse compréhension qu'ils se moquaient.

Pour l'instant ce surnom ne dépassait pas la sphère pouilleuse des traîne-wagons et n'avait jamais attiré l'attention de ceux qui menaient une vie plus conformiste.

Il retourna à la Centrale des computers pour essayer de savoir où se trouvait le dernier intermémo qui l'avait aiguillé vers les archives manuelles d'un endroit qui commençait par les lettres Kar. On se mit à l'envoyer promener. Il gênait.

Alors il commença de se déplacer lentement dans l'espace libre en se dandinant sur les mains, passant d'un wagon à l'autre, gênant les clients et embarrassant les employés et les vigiles jusqu'à ce qu'un cadre apparaisse et s'immobilise à sa vue.

— Que faites-vous là ?

Gus lui expliqua qu'il cherchait un renseignement banal qu'on lui refusait. L'autre le prit de haut.

— Vous savez à combien revient la seconde ici, voyageur ?

— Oui, j'ai payé un dollar soixante-dix *cents* la dernière fois et il paraît que c'est le haut de gamme du tarif.

L'autre parut pris de court :

— Effectivement c'est notre prix le plus élevé, mais en moyenne nous atteignons un dollar seconde et nous travaillons nuit et jour... Si vous ne pouvez payer un renseignement vous n'avez pas le droit de nous importuner.

— Je cherche un intermémo qui m'a orienté sur des archives manuelles. Ils ne doivent quand même pas être des dizaines... Il vous serait facile de me donner ce renseignement. Je ne demande pas autre chose.

Le chef informaticien parut perplexe.

— D'accord, dites-moi de quoi il s'agit et revenez demain.

Lorsqu'il revint le lendemain Jaxell était absent. On lui avait dit qu'il avait dû se rendre de toute urgence dans un autre central.

104

— Dans cette station ?

— Non, ailleurs, revenez plus tard, lui dit un vigile qu'il n'avait jamais vu.

Le lendemain il ne put venir car le service d'hygiène visitait son quartier et il dut déménager son trou à rats, le temps que la commission ait vérifié qu'aucun humain n'habitait là-dedans et que c'était uniquement pour y élever des lapins que le propriétaire avait installé ces sortes de cages. Elles étaient illégales en vertu des règlements de la C.A.N.Y.S.T., et une fois de plus le propriétaire promit de les démolir. Gus revint vers le soir, ayant passé sa journée à veiller sur ses maigres affaires sans pouvoir les laisser sous la surveillance de quiconque. Même sa voisine aurait été capable de disparaître avec les quelques vêtements et documents qu'il possédait.

Jaxell n'était toujours pas revenu et Gus se fit indiquer son bureau par le vigile. C'était au troisième étage de cet ensemble sophistiqué. Pour rester en règle avec le certificat de conformité la construction ressemblait à des wagons empilés, mais Gus se demandait si le tout aurait pu faire seulement dix mètres sur les rails sans s'effondrer. Il n'emprunta pas l'escalier intérieur mais l'ascenseur.

Dans le bureau de Jaxell il n'y avait personne, et il dut en faire plusieurs avant de tomber sur une vieille femme qui astiquait le parquet avec une obstination telle qu'il n'arrivait pas à lui faire tourner la tête. Il comprit qu'elle était sourde. Il lui toucha l'épaule et elle sursauta, regarda en l'air, abaissa son regard et poussa un cri en le découvrant campé sur ses bras.

— Quelle horreur, fit-elle. Mais d'où sortez-vous ?

— Du centre de la Terre, fit-il plein d'amertume. Où sont passés les gens qui d'habitude travaillent ici ?

— Fichez le camp ou j'appelle.

Gus se mit en équilibre sur une seule main, leva

l'autre vers le bureau en gros verre de silice et pinça le rebord. Il se hissa ainsi lentement jusqu'à ce qu'il soit à la hauteur du visage horrifié de cette femme :

— Ça vous va, ainsi ? Où sont-ils ?

— Vous venez vraiment de là-dessous ?

— Oui, et nous sommes toute une flopée qui avons très faim. Dites où ils sont et je disparais.

Elle resta agenouillée, le regard flottant. Elle secoua la tête :

— Je vais vous dire une chose.

Il commença d'espérer.

— Je crois pas que vous veniez de dessous…

— D'accord, soupira-t-il impatient. Et puis ?

— Ils doivent tous être à Saint-Patrick, ces sales bigots de Néos. Oui c'est bien ça, Saint-Patrick.

— Ça se trouve où ?

— Ben sur le quai Saint-Patrick, tiens, est-il bête celui-là !

Il lui fit une grimace horrible qui la fit se dresser d'un coup et se réfugier dans un angle et il repartit en se dandinant, descendit l'escalier. Il y avait un plan de la station juste au centre du wagon d'accueil. Il grimpa sur la banquette circulaire, puis directement sur le plan plastifié et trouva le quartier Saint-Patrick de l'autre côté de la station. Il devrait prendre un tramway et ça ne l'emballait pas.

Une demi-heure plus tard il pénétrait dans le train église mais il était désert. Ça sentait l'encens et la bougie froide. Il ne trouva personne et resta un moment sur une chaise au fond, près d'un bénitier en plastique transparent.

— Vous voulez vous confesser ? souffla une voix dans son cou.

Une ombre se glissa entre lui et la faible lueur qui venait du vitrail droit.

— Je suis venu pour la cérémonie… Jaxell, vous savez.

— Ils sont à côté dans le toboggan.

Gus ne comprenait plus rien de ce qu'on lui disait depuis un moment mais il se dirigea vers ce toboggan juste à la lisière de la coupole.

Dans le wagon il faisait très froid et une vingtaine de personnes emmitouflées se penchaient au-dessus d'une cuve dont il ne pouvait pas voir le contenu. Un néo-prêtre en surplis psalmodiait sur une petite estrade, et Gus aperçut un escalier en colimaçon qui grimpait au premier étage et l'escalada avec précaution pour ne pas déranger ces gens-là. Il n'apercevait Jaxell nulle part.

Quelques visages ne lui étaient pas totalement inconnus. Il avait dû les rencontrer dans le wagon d'accueil de la Centrale des computers. Il y allait si souvent que malgré ses préoccupations il finissait par voir toujours les mêmes personnes.

Le murmure du prêtre était couvert par un bruit sourd qui ressemblait à celui d'un compresseur. Et c'est tout en haut de l'escalier à vis qu'il vit Jaxell.

Dans la cuve, en train d'endosser son dernier vêtement : un cercueil de glace couleur verte sauf à l'emplacement du visage où elle restait transparente.

CHAPITRE XVIII

Yeuse trouva du coton raidi par le froid mais qu'elle réchauffa en le fourrant dans sa combinaison entre ses cuisses. Le temps qu'il dégèle et puisse absorber l'alcool.

— L'aiguillage approche, dit Floa qui pouvait l'apercevoir puisqu'elle se tenait droite.

— Tu penses qu'on pourrait aussi faire couler de l'alcool dans les meurtrières ?

— On peut essayer. Il faut l'enflammer dès le départ sinon il coulera sans prendre feu.

— C'est dangereux. Tu risques pour le moins de détériorer ta combinaison et de geler sur place.

— Il faut risquer le coup.

Elle répandit la vodka et Yeuse en imbiba son coton qu'elle jeta ensuite sur la base de la tourelle. Floa prit un autre flacon et le fit couler lentement. Les flammes bleutées couraient de haut en bas sur l'avant du blindé et elles ne savaient pas si elles pénétraient à l'intérieur.

— Prends la carabine si jamais ils ouvrent les meurtrières ou même le sabord de la tourelle.

Cette fois Yeuse était bien décidée à tirer. Elle se retourna et vit que l'aiguillage n'était plus qu'à quelques centaines de mètres. Elle apercevait la boîte du mécanisme manuel de couleur rouge.

— J'ai l'impression que ça s'agite beaucoup dans cette boîte de conserve.

— Ils peuvent sortir par-derrière et nous contourner.

— Surveille autour de toi.

Elle continuait de vider l'avant-dernier flacon de vodka. Elle prenait de gros risques, coincée comme elle l'était entre le rebord du silico et le blindé. Les flammes pouvaient d'un coup s'inverser et la brûler.

C'est ce qui faillit se produire lorsque d'un coup le blindé s'immobilisa. Si brutalement que le silico-car sur la poussée initiale se détacha, continua encore quelques mètres. Perdant l'équilibre avec son flacon dans une main et son coton enflammé dans l'autre Floa voulut se rattraper au groin du monstre. Au dernier moment elle choisit de glisser au sol et Yeuse la vit disparaître au-dehors, sur les rails.

Juste à ce moment le trou d'homme s'ouvrit et un type surgit à quatre pattes. Il flambait. Effarée elle le vit, entièrement nimbé de feu, qui courait vers la gauche se rouler dans les congères du bord, mais elles étaient trop tassées pour étouffer les flammes et au contraire leurs arêtes acérées déchirèrent le tissu.

Avec un hurlement l'homme dut sentir en même temps les deux brûlures, celle du froid et celle du chaud inonder son corps. Il se mit à sauter en l'air de façon incroyable et lorsque exténué il tomba de tout son long, sur le dos, son corps continua à se soulever convulsivement.

Floa remontait à bord et hurlait quelque chose que Yeuse ne comprenait pas. Puis elle aperçut un autre homme qui, lui, surgissait de derrière la tourelle avec un énorme lance-roquettes portatif qu'il tenait à la hanche. Lui aussi avait la cagoule racornie, noircie par le feu mais il arrivait à tenir debout, à les menacer.

Yeuse épaula et tira sans pouvoir viser à cause de la couverture protectrice. La carabine martela son épaule une dizaine de fois. L'homme venait de basculer en avant, son lance-roquettes ricocha sur le mufle d'acier et Yeuse se précipita pour le saisir à deux bras. Il était armé, et son chargeur de quatre projectiles intact. Elle visa le blindé et tira. Il parut s'écouler une éternité entre le moment où la charge creuse pénétra dans la draisine en forant un trou réduit, et le moment où une explosion violente secoua les six tonnes qui se soulevèrent de plusieurs centimètres et retombèrent en dehors des rails. Yeuse avait vu le métal bleuir puis devenir d'un violet foncé.

— Ils ont leur compte, fit Floa. J'avais craint qu'ils ne repartent en arrière et nous échappent. J'espère qu'on pourra tous les identifier cette fois.

Yeuse tremblait sans savoir pourquoi et très inquiète son amie inspecta sa combinaison.

— Je ne vois pas de déchirure.

— C'est peut-être le contre-coup... J'ai quand même tué ce type... Je n'arrivais plus à lâcher la détente... J'étais en pleine extase.

Floa eut un sourire un peu trop compréhensif, pensa-t-elle.

— Il reste de la vodka... Tu devrais essayer...

On pouvait manger et boire avec la cagoule. Il suffisait d'établir le sas dépliable qui se trouvait sur le côté. Floa jugea utile de la remonter sur-le-champ avant qu'elle ne s'évanouisse. Elle passa toute la bouteille dans la poche isolante et Yeuse avec sa main la fit glisser vers sa bouche. L'alcool la brûla, lui fit pleurer les yeux mais elle en but une grande gorgée avant que Floa ne récupère sa bouteille.

— Et si les autres venaient ?

110

— Nous avons de quoi les recevoir. Il reste trois roquettes et un plein chargeur. Non, ils savent que c'est fichu et ils vont se disperser, libérer le réseau et les communications radio. Tu vas voir.

Malgré la faiblesse de son appel due aux batteries épuisées, on lui répondit tout de suite d'un dispatching tout proche. On envoyait un convoi de secours mais une draisine serait là avant une demi-heure.

En même temps le courant fut rétabli sur le réseau et elles colmatèrent la brèche arrière avec le matelas de la couchette et tout ce qu'elles trouvèrent. Peu à peu la température remonta à l'intérieur du silicocar.

— Il est dans un drôle d'état, fit Floa désolée. Je vais le regretter.

— On t'en enverra un autre, blindé.

— J'ai tellement l'habitude de m'en servir.

— Je croyais que c'était de la saloperie, dit Yeuse.

Elles éclatèrent de rire, se regardèrent en même temps, sachant que désormais elles auraient en commun la pensée d'avoir un jour failli mourir ensemble.

— Je me demande s'il y avait d'autres bonshommes à l'intérieur. Souhaitons que la roquette n'ait pas tout détruit, qu'on les identifie sans hésitation et qu'on retrouve des documents.

Floa se tourna vers elle alors que la draisine de secours arrivait :

— Ça te gêne si on laisse entendre que nous y sommes restées ? J'ai envie de voir ce qui va se passer.

— On ne provoque pas deux fois la fatalité, répondit Yeuse. Mais soit, pour vingt-quatre heures au plus.

CHAPITRE XIX

Lorsqu'ils s'étaient rendu compte que Gus était là, ils avaient chuchoté entre eux, et finalement la fille qui d'ordinaire s'était montrée si désagréable avec lui s'approcha de l'escalier et leva la tête vers lui :

— Nous sommes très touchés que vous vous soyez dérangé pour les funérailles de notre ami Jaxell. Si vous voulez assister à la dernière partie de la cérémonie vous pouvez nous accompagner jusqu'au toboggan.

Gus ne parvenait pas à détacher son regard du visage du cadavre. Il descendit l'escalier et la suivit en se dandinant fortement. Le bloc de glace verte qui contenait le corps se soulevait, le fond de la cuve servant d'élévateur et glissait lentement sur le fameux toboggan. Le prêtre s'y trouvait déjà et regardait Gus par-dessus ses lunettes à l'ancienne sans cesser de prier.

— Merci, merci.

Tout le monde s'inclinait devant le cul-de-jatte et quelqu'un alla chercher un siège, voulut l'aider à s'y jucher mais Gus fut plus rapide que lui, à l'ébahissement du prêtre qui suspendit quelques secondes ses patenôtres.

— Vous y voyez ? chuchota la fille dans son dos.

112

Il fit signe que oui. Le toboggan descendait vers la glace extérieure, au-delà de la coupole de protection et Gus remarqua le trou rectangulaire creusé avec une perfection totale.

— Notre ami Jaxell a choisi la couleur de sa foi, disait le prêtre, le vert de l'espérance en la résurrection de la chair.

Gus apprit par la suite qu'on pouvait obtenir n'importe quelle couleur pour la glace de son cercueil et qu'outre le vert des Néo-Catholiques, le rouge et le noir étaient fort prisés. On pouvait y rajouter des dorures. On pouvait aussi choisir une forme plus originale évoquant les cercueils de jadis, et une teinte spéciale rappelait alors celle du chêne ou de l'acajou. Mais des originaux choisissaient de se faire ensevelir dans une boule, d'autres dans un véritable sarcophage surchargé de sculptures et de motifs. On disait méchamment que les Aiguilleurs voulaient des bières en forme de locomotives.

Et puis vint le dernier moment. Chacun posa sa main sur le bloc de glace verte et très vite le chef de service de Jaxell donna le signal. Ils poussèrent tous en même temps pour décoller la masse qui glissa lentement au début puis de plus en plus vite vers sa fosse. Le toboggan suivait une sorte de huit assez gracieux qui permettait de voir passer à deux reprises la dépouille de l'être cher. Puis une trappe s'ouvrit et l'ensemble fut catapulté au fond du trou. Aussitôt une machine à produire de la glace entra en action et un jet puissant fut dirigé vers la tombe.

— Vous allez voir quel artiste c'est, lui dit-on.

On devait faire allusion à celui qui maniait le jet de glace obtenu à partir d'une eau mélangée à un ralentisseur, qui donnait juste le temps de modeler ce que l'on voulait. Le technicien construisit en quelques minutes une pierre tombale et confectionna une stèle en haut de laquelle il érigea une belle croix. Et ensuite, à l'aide d'un jet plus petit, il grava le nom du défunt sur la stèle.

— Pour un peu on applaudirait, n'est-ce pas ?

Gus hochait la tête. Il brûlait de poser une question précise.

— Voilà notre ami en route pour l'éternité.

Le prêtre s'éloignait et on se retourna vers Gus :

— Venez avec nous. Il y a une cafétéria à côté qui appartient aux pompes funèbres. Nous vous offrons un verre au nom de notre ami.

— J'ai su très tard, murmura Gus. Je ne connais pas les raisons de sa mort.

Ils ne savaient s'ils devaient le précéder ou le suivre mais très vite ils comprirent qu'il marchait aussi vite qu'eux sur leurs jambes. Ils s'installèrent autour d'une double table et commandèrent du café et de l'alcool.

— Ce fut rapide, commença Gus.

— On ne comprend pas, dit quelqu'un. Se faire renverser par un loco-car inconnu dans ce quartier...

— Oui, on ne comprend pas.

Gus buvait son café, se demandait s'il devait poser une question.

— Dans le quartier de l'ancienne distillerie.

Il sursauta. C'était son quartier.

— Vous croyez qu'il allait voir les prostituées ? demanda un homme la mine gourmande.

— Voyons, dit la fille de la réception, soyons dignes.

— Il habitait à l'autre bout de la station.

Le cul-de-jatte se demandait si Jaxell n'était pas venu dans son quartier pour le rencontrer. C'était tellement incroyable qu'il préférait ne pas trop y songer. Pourquoi ce petit chef prétentieux aurait-il condescendu à venir lui rendre visite ? Alors qu'il n'avait jamais donné son adresse.

— C'est tout de même étrange...

— Non. On a dû le dépouiller et ensuite le jeter assommé sur la voie des loco-cars. Un type l'aura vu trop tard et aura préféré disparaître. C'est humain.

— L'embaumeur a fait un travail inouï, vous avez vu ? C'était tout à fait lui. Nous allons bien le regretter, ajouta celui qui parlait en regardant le chef de service qui buvait tranquillement son alcool à petites gorgées régulières.

Tous devaient attendre qu'il désigne le successeur de Jaxell et Gus, lui, souhaitait qu'on parle encore du mort.

Il se pencha vers la fille qui jusqu'à présent l'avait toujours méprisé et qui d'un coup lui souriait :

— Vous savez où il habitait ?

— Deux cent quatre-vingt-neuf quai de la Panaméricaine, dit-elle en rosissant.

Elle avait dû s'y rendre quelquefois, pensa Gus.

— Il devait me donner un renseignement sur un intermémo...

— Je sais qu'il est allé en voyage durant deux jours. C'était donc pour vous ? fit-elle abasourdie.

— Je ne sais pas, répondit humblement Gus.

— Il s'est rendu à Suma Station... C'est notre numéro six sur la liste des intermémos.

— Veuillez faire silence, s'il vous plaît, fit quelqu'un avec brutalité, M. le chef de service a quelque chose d'important à nous dire.

Le chef de service gratta sa gorge, finit son alcool et les regarda :

— Eh bien, je pense qu'il nous faudrait maintenant retourner à la Centrale. Le travail nous attend. N'oubliez jamais que chaque seconde perdue c'est un dollar perdu également.

Gus l'aurait avalé tout cru.

CHAPITRE XX

Malgré ses précautions, Ma Ker ne put empêcher la nouvelle de se propager très vite, et les mille habitants de Fraternité II ne parlaient plus que de ce futur départ vers une autre base plus accueillante, vers l'ouest. Au cœur de hautes montagnes très difficiles à franchir et qui les protégeraient de leurs ennemis aussi bien que Jelly, sans courir chaque seconde le risque de se faire phagocyter.

Ma Ker aurait préféré que cette éventualité d'un départ ne s'ébruite pas. On savait ce qu'on quittait, on ignorait ce qu'on allait trouver.

Liensun bien sûr, son fils adoptif. Mais Liensun désormais régnait en maître là-bas et elle devrait abdiquer tous ses pouvoirs et se soumettre à la volonté de ce jeune garçon dont elle connaissait les qualités, mais aussi les terribles défauts. Liensun cachait difficilement une ambition démesurée et les Rénovateurs du Soleil n'étaient pour lui qu'une étape dans sa vie. Il visait plus loin et peu lui importait que l'ère solaire revienne ou non.

N'empêche que les gens préparaient leurs bagages et que la surveillance de Jelly se relâchait. Le protoplasma avait à plusieurs reprises tenté de réoccuper le terrain perdu et les signaux sonores, visuels, avaient donné l'alarme, ramenant brusquement tout le monde à une réalité moins rose.

Sans Jdrien, le Messie des Roux, la Bête n'aurait pu être contenue alors et elle aurait fini par les engloutir. Le garçon paralysait les centres vitaux de l'amibe géante, l'empêchait de céder à la nécessité de se nourrir puisqu'on ne pouvait même pas parler d'instinct.

Dans le collectif administratif c'étaient déjà des empoignades quotidiennes, certains voulant qu'on évacue d'abord les familles, d'autres le matériel et les derniers les scientifiques.

— Un instant, dit Ma Ker. Je veux vous préciser quelles seront nos conditions de vie dans la Sun Company dont le nom peut prêter à confusion et apparaître comme un mirage décevant. Il y a des habitants anciens, des Tibétains, et nous ne serons jamais qu'une colonie d'étrangers.

— Votre fils dirige la Compagnie.

— Il n'a pas obtenu le certificat d'inscription qui remplacerait les actions qu'Helmatt a emportées dans le mystère de sa mort. Sans certificat, la C.A.N.Y.S.T. ne reconnaîtra pas sa présidence et, pire, enverra une commission.

— Elle n'arrivera jamais entière à travers les cent petites Compagnies de l'Australasienne.

La situation ne cessait de se dégrader en Australasienne et les Compagnies se morcelaient de plus en plus, certaines n'étant plus qu'une station par exemple, ou quelques kilomètres carrés stériles.

— Ne vous imaginez pas que nous serons les maîtres et les Tibétains nos esclaves... Ce sera dur car nous ne devrons pas bousculer leur vie traditionnelle. Pas question de les chasser de leur lieu d'origine.

— Ce sera toujours mieux que Jelly.

— Je n'en suis pas aussi certaine que vous, répliqua la physicienne avec agacement.

— C'est curieux votre peu d'enthousiasme à quitter cet endroit, comme si vous aimiez le danger constant qui nous menace. Nous ne vous comprenons pas.

— J'estime que nous aurions dû concentrer nos efforts sur une connaissance plus approfondie de cette amibe monstrueuse. Nous aurions pu la domestiquer, l'obliger à nous accepter en l'habituant à nous considérer comme des amis.

— Les Sibériens semblent avoir inventé une méthode de lutte, dit un observateur qui passait ses journées à bord d'un dirigeable à suivre les progrès des envahisseurs. Depuis quelques jours le protoplasma cède du terrain devant eux. Nous ignorons s'il s'agit d'un produit ou d'une arme spéciale mais le fait est là. Outre le protoplasma qui nous entoure, nous aurions dû faire face à ces gens-là.

— Vous n'avez rien compris, dit Ma Ker. Nous sommes un alibi. Les Sibériens cherchaient à occuper ce territoire qui légalement appartient au Président Kid, et ils ont trouvé un objectif. Si nous partons plus de mobile. Ils ne vont donc pas se presser si nous restons et nous pourrions attendre des années leur intervention.

Mais c'était perdu d'avance elle le sentait, n'avait plus envie de lutter, souhaitait même remettre son pouvoir entre les mains de Liensun. A condition qu'il lui construise un laboratoire bien équipé.

— Vous allez emmener Jdrien? demanda quelqu'un.

— Je ne sais pas encore. De toute façon si nous ne l'embarquons pas il ira quand même là-bas avec sa

118

horde. Il a décidé de rencontrer son demi-frère et il tiendra parole.

Les gens aimaient bien le Messie des Roux et n'y voyaient aucun inconvénient.

Sauce. Il a effacé de temps pour qu'il délivre et il
tendu main.

Les trous demandaient la mâchoire à la tranche nous
séparant d'eux jusque...

CHAPITRE XXI

On disait de Pan qu'il était le roi des traîne-wagons
dans la Dépression Indienne, qu'il réglait les conflits,
répartissait équitablement les réseaux et les stations
parmi les clochards, afin d'éviter une saturation en
un seul endroit que les habitants ou les voyageurs
n'auraient jamais acceptée. On exagérait beaucoup
mais Pan l'Aveugle disposait d'un grand crédit parmi
les marginaux et on écoutait ses recommandations.

Gus finit par aller à son rendez-vous un soir. Pan
demeurait non loin de l'usine qui congelait les
ordures où, malgré sa cécité, il participait au triage
avant que celles-ci ne soient congelées en blocs
réguliers et transportées en dehors de Stanley Station, jusqu'à un campement de Roux qui à nouveau y
récupéraient leur nourriture où les objets qui leur
paraissaient dignes de faire des bijoux.

— C'est toi l'homme qui marche sur ses mains ?
J'ai entendu parler de toi. Je ne pense pas que tu sois
un véritable traîne-wagon. On dit que tu as une idée
fixe et tu sais comment on te surnomme ?

— Penguin, à cause de ma démarche.

— Pas exactement. Penguin Concrete.

Gus tressaillit. Il ignorait qu'on avait rajouté ce
deuxième mot à son surnom.

— Les Tarphys te recherchent, Penguin Concrete, et tu sais qui sont les Tarphys ?

— Vaguement. On a dû m'en parler autrefois mais j'ai tant oublié de choses pour ne conserver que l'essentiel dans ma mémoire que je ne sais plus.

— C'est une célèbre famille de tueurs au service de la Panaméricaine depuis des générations. D'ailleurs ils représentent les intérêts économiques et financiers de cette Compagnie dans l'Australasienne, et c'est la principale source de leurs revenus qui sont énormes. Mais ce sont des assassins. Et ils te recherchent activement. Tu l'ignorais ?

— Je vis seul dans un autre quartier.

— Qu'as-tu fait pour attirer leur attention ?

— Je l'ignore.

— On dit que tu recherches une mystérieuse station qui n'existerait pas et qui pourtant aurait un nom, Concrete Station. Tu ne penses pas que c'est la raison qui te désigne aux Tarphys ?

— Chacun n'a-t-il pas un rêve fou, une idée fixe ou un but qu'il n'atteindra jamais ? Moi c'est Concrete Station.

— Et qu'y a-t-il de fabuleux dans cette station inconnue de tout le monde ?

— Une clé. La clé pour une autre vie, un autre bonheur...

— Les Tarphys ont des oreilles et des yeux partout, même chez nous, et tu pourrais être trahi par le traîne-wagon qui t'offre un coup à boire. Il fallait que tu le saches. Le mieux est que tu quittes Stanley Station sur-le-champ sans même repasser par ton trou à rats. Il y a au moins trois convois de marchandises accessibles jusqu'au milieu de la nuit. Tu peux donc choisir, mais demain tu ne dois plus être là. Les Tarphys peuvent nous mener la vie dure à nous autres traîne-wagons et la police ferroviaire n'a rien à leur refuser. Ils peuvent nous arrêter et nous

121

déporter tous dans une station abandonnée, comme il y en a tant dans le sud vers l'Antarctique. Aucun train ne s'y arrête plus et nous devrons vivre des rats qui y abondent et des goélands. Les rats mangent les œufs et les poussins des goélands, ces derniers mangent les rats. Nous n'avons que faire dans un cycle aussi parfait. Depuis longtemps on parle de nous déporter pour cause de salubrité publique. Si tu restes ils le feront.

— C'est ta sentence, Pan ?

— Mon conseil.

Pan ne s'habillait que de peau de mouton retournée de la tête aux pieds. Le cuir en était d'une vilaine couleur jaunâtre. Pan portait la barbe et les cheveux longs, et comme son regard était mort, ce visage avait, lui aussi, cessé de vivre, caché dans ses poils.

— Bien, je vais partir.

— As-tu besoin de quelque chose ? De provisions de route car les convois en question ne contiennent que des objets sans rapport à la nourriture. On t'a préparé un sac. Tu tiendras huit jours avec ce qu'il y a dedans. Mais on a fait aussi une souscription.

— Une quête, grommela Gus.

— Une souscription, et on a réuni cinquante dollars que je te remets.

Il lança une bourse en plastique que Gus malgré lui attrapa.

— Tu vas attendre ici l'heure d'aller à la gare de marchandises. Il y aura une vingtaine de traîne-wagons qui jalonneront ton chemin pour qu'il ne t'arrive rien ici. Si tu veux, ils te porteront jusqu'à ton wagon.

— Je préfère marcher.

— A ta guise. Maintenant on va nous apporter du punch brûlant. Tu sais ce qu'est le punch ? De l'alcool qu'on a fait flamber avec du sucre et du sirop.

Il but en écoutant Pan et trois autres qui racontaient de vieilles histoires archiconnues sur toutes les lignes de la Dépression Indienne, mais tout était dans l'art du conteur. Il pensait à Jaxell qui avait essayé de s'intéresser à son affaire et qui en était mort. On l'avait suivi jusque dans son quartier de l'Ancienne Distillerie pour l'assommer et le jeter, encore vivant, sous les roues d'un loco-car. Les Tarphys assurément.

Gus avait réussi à s'introduire dans le triple compartiment qu'occupait Jaxell, Quai de la Panaméricaine, wagon 289, et il avait fouillé partout. Jaxell possédait une curieuse bibliothèque remplie de livres anciens et de brochures clandestines. De ces brochures qui tenaient leur succès à de prétendues révélations sur les secrets des grands de ce monde et sur le monde lui-même. On y parlait sorcellerie également. Les Rénovateurs du Soleil y étaient considérés comme une secte diabolique pratiquant l'envoûtement, et dont les membres possédaient des pouvoirs exorbitants.

Toute la nuit Gus avait feuilleté ces brochures et avait fini par trouver, parmi les deux ou trois cents, celles qui avaient pu conduire le cadre informaticien à venir lui rendre visite dans son quartier dangereux pour un homme comme lui. Le nom de Concrete Station y figurait en tête d'un article de quinze lignes. Gus l'avait lu rapidement, avait arraché la page puis à la réflexion avait préféré prendre la brochure complète. Il avait pris le temps de la glisser dans la doublure de ses fourrures.

— Quel convoi vas-tu choisir ? demanda Pan quand ils eurent terminé la grande coupe de punch.

— Celui qui se dirige vers China Voksal.

— Bien, mais c'est le plus risqué. Il traverse bon nombre de Compagnies cupides. Tu devras te cacher soigneusement. Choisis le wagon le moins tentateur pour ces gens-là. Celui qui est rempli aux deux tiers de fumier de mouton. C'est un produit qui s'échauffe bien et qui te gardera bien au chaud. On te fournira une bâche pour t'étendre dessus. Veille à ce que les aérateurs ne soient pas obstrués. D'une part pour éviter de t'asphyxier et de l'autre parce que ce vieux wagon pourrait exploser si les gaz ne pouvaient s'échapper. Moyennant quoi tu seras à ton aise.

— L'odeur ?

— Tu t'habitueras.

Il quitta le vieux wagon de l'usine à ordures vers minuit et marcha sur les quais en direction de la gare de marchandises. De temps en temps il croisait la silhouette hétéroclite d'un traîne-wagon qui au passage lui soufflait :

— Rien à signaler, Penguin Concrete. Tu peux continuer sans trop t'en faire.

C'est ainsi qu'il passa de relais en relais et arriva sans encombre jusqu'à la gare de marchandises où deux costauds l'aidèrent à grimper tout en haut d'un wagon. Il aurait très bien pu y arriver seul mais il ne voulut pas peiner ces deux types qui se dévouaient pour lui.

— On va dérouler la bâche et tu seras ensuite comme un roi.

Par une des trappes soulevées montait une odeur terrible qui le prenait déjà à la gorge. Il se demandait s'il serait capable de la supporter pendant des jours.

— On va te descendre.

— Merci, les gars, mais je pense y arriver seul désormais. De toute façon je serai seul pour m'en sortir par la suite.

Il laissa tomber son baluchon puis se suspendit par une main. Un peu de clarté provenant d'un projecteur suspendu l'éclairait suffisamment. Il se balança avec souplesse, lâcha prise au bon moment et atterrit sur sa bâche, agita le bras pour montrer que tout allait bien.

La première des choses fut de se dévêtir totalement, d'enfermer ses vêtements dans un sac de plastique qu'il rendit étanche avant d'enfiler une vieille combinaison rapiécée. Il la jetterait au terminus quand elle serait trop imprégnée de la puanteur de fumier de mouton.

Il ne pouvait continuer à respirer ainsi par épisodes interrompus par des intervalles d'apnée où il allait jusqu'à étouffer. Respirer par la bouche c'était tapisser la gorge de minuscules poussières puantes. Il semblait aussi qu'il y ait de la vermine dans le fumier qui vivait extraordinairement, fermentait.

Il lui fut impossible de fermer l'œil durant vingt-quatre heures. Pour une raison quelconque le wagon ne fut pas attelé au convoi dont le départ était prévu pour deux heures et il dut attendre le matin pour quitter enfin Stanley Station. Durant tout ce temps il avait été à la merci d'un mouchardage, voire d'un simple bavardage. Les Tarphys n'auraient qu'à l'abattre depuis la trappe du toit.

Dès que le train roula par les moins cinquante-soixante de l'extérieur, tout alla mieux. L'air glacé vint se mélanger à la moiteur ambiante et rendit l'atmosphère plus respirable, la puanteur s'évacuant régulièrement. Mais la vapeur d'eau commençait de s'agglutiner sur les rebords de la trappe et il calcula que dans deux heures ou trois celle-ci serait complètement obturée. Les cheminots devaient le savoir mais comptaient sur l'accumulation des gaz qui par la suite feraient sauter le bouchon de givre. Mais lui ne pouvait attendre jusque-là sans risques mortels.

Il déchira avec soin une partie de sa bâche pour en faire une corde solide et, avec son couteau de dépeceur, tailla dans la membrure en bois du vieux wagon une sorte de perche d'un mètre cinquante, très robuste.

A la troisième tentative la perche s'enfila dans le trou réduit par le gel de la trappe et se plaqua sur le toit où il la laissa se fixer par le froid, avant de grimper à la seule force de ses bras. Il dégagea le trou et redescendit. Désormais, toutes les deux heures il devrait répéter cette escalade pour éviter de mourir asphyxié. Ce qui allait l'empêcher de se reposer une dizaine d'heures d'affilée comme il l'escomptait.

Il faillit à plusieurs reprises se laisser piéger. Le gaz carbonique le faisait glisser dans une torpeur si agréable qu'il avait du regret à émerger pour grimper à la corde. De plus ses forces commençaient de s'épuiser. Il essaya de trouver un autre système mais en vain.

Pour ne pas céder au sommeil il lisait la brochure trouvée chez Jaxell. Ce genre de littérature prêtait le plus souvent à sourire avec ses enflures de style, ses redondances, mais Concrete Station était présenté comme un lieu mythique dont l'accès n'était connu que de rares initiés :

> « C'est l'antichambre du Paradis, l'Eden perdu sur la Terre. Dès qu'on a franchi le seuil d'une porte monumentale, c'est la chaleur merveilleuse qui vous accueille et tout ce que l'on peut imaginer de beau et de bon, aussi bien des femmes nues et merveilleuses que des mets fastueux. On vit dans un enchantement permanent et rien ne vient troubler votre quiétude. Mais l'accès à cette cité sublime nécessite des épreuves si cruelles que même ceux qui pourraient les affronter s'y refusent le plus souvent. »

126

— Du baratin, fit-il furieux.

Pourtant il lisait, relisait ce texte avec application se demandant si sa naïve joliesse ne cachait pas des informations capitales. Il savait par cœur le nom de celui qui l'avait signé : « Professeur Marcus ». Cela sentait la mystification absolue, écrite pour satisfaire les superstitions et gagner un peu d'argent grâce à la crédulité de gens comme Jaxell.

Jaxell qui avait cherché Concrete Station ou qui, frappé qu'un traîne-wagon dépense une petite fortune pour en savoir plus, avait voulu le rencontrer en dehors de la Centrale des computeurs.

Le désespoir envahissait Gus peu à peu. Jaxell avait disposé, lui, de tous les ordinateurs de la Centrale, de toutes les banques de données, des intermémos. Il lui suffisait de venir la nuit au moment où les réseaux étaient moins surchargés pour obtenir toutes les indications souhaitables. Et il avait dû le faire. Et il avait certainement échoué puisqu'il s'était raccroché à lui, un pouilleux clochardisé. Il aurait dû y penser plus tôt avant de s'embarquer sur ce tas puant de fumier de mouton pour une destination qui lui paraissait dangereuse. Il comptait descendre à Suma Station pour avoir accès à l'intermémo, pensant que ce serait moins onéreux. Jaxell l'avait fait, lui avait-on dit sans y attacher d'importance, et il en était revenu bredouille.

Oui, mais on l'avait assassiné alors qu'il venait le visiter. Et cet assassinat signifiait quelque chose. S'il venait le voir, c'était qu'à Suma Station il avait appris un détail que, seul, lui Gus, pouvait éclaircir.

Ravigoté, il grimpa joyeusement dégager la trappe d'aération.

CHAPITRE XXII

Assises sur le même divan, buvant un verre, les deux femmes regardaient à la télévision le reportage sur l'attentat qui avait failli leur coûter la vie. Les caméras avaient montré le silico-car écrasé à l'arrière, le gros blindé en travers des rails.

— « Ce modèle est réformé depuis des années, peut-être une quinzaine. Il en existe plusieurs dizaines dans la station de la Sécurité Ferroviaire de Engineer Station où le matériel périmé est stocké en attendant d'être revendu à la ferraille. Il semble que, en ce qui concerne Engineer Station et ce modèle de blindé léger, on ait préféré attendre un peu. »

Floa ricana :

— Prudent, le journaliste. On garde des blindés du service d'ordre en prévision de soulèvements internes. C'est le conseil d'administration qui l'a ordonné.

Un autre journaliste interviewait le maître Aiguilleur qui dirigeait Engineer Station.

— Tiens, ce brave Lambert, dit Floa. Un imbécile et un gros lard. Regarde cette bedaine ; elle doit descendre plus bas que son sexe.

Lambert expliquait qu'on avait dû voler le blindé à

son insu. Il y avait des centaines de véhicules ai̶~̶
dans le parc de la station et aucun n'était directement utilisable.

— « Il faudrait les équiper de batteries, faire
tous les pleins, et encore ce serait insuffisant car
certains moteurs sont à bout de souffle. »

— Pourtant, lui cria Floa, c'est chez toi que
tout s'est préparé et je saurai m'en souvenir.

On retourna sur les lieux de l'attentat et le
journaliste dut en arriver à parler des victimes.

— « L'identité de l'une est formellement éta-
blie. Il s'agit de la voyageuse ambassadrice de la
Compagnie de la Banquise, Yeuse, qui a été
retrouvée dans un état très grave et conduite dans
un train-hôpital. Nous n'en savons pas plus pour
l'instant. L'autre personne tout aussi grièvement
atteinte a été également dirigée vers un train-hôpital. Dès que nous aurons d'autres précisions nous
vous les communiquerons. »

Floa avala le fond de son verre et prit un bei-
gnet sur la table basse devant elle, le tartina de
caviar. Yeuse en avait rapporté un stock impressionnant de Sibérienne.

— Si nous n'avions pas alerté Assoud et la
presse étrangère, ils n'en parleraient pas, dit
Yeuse. Ton système de censure se retourne contre
toi, si bien qu'on ignore ce qui se passe dans les
coulisses du pouvoir.

— Assoud doit venir, non ?

— Dès qu'il y aura du nouveau, mais on doit se
méfier de lui et je crains qu'il ne soit expulsé...
Tu perdrais gros en laissant faire. Je pense que tu
devrais te montrer... On peut convoquer la télévision ici. Je dirai que je suis rentrée dans mon
ambassade et que je suis en bonne santé. Les
journalistes accourront. Et alors tu ferais ton
apparition.

Floa tartinait un autre blini et louchait sur une bouteille de vin non ouverte. Yeuse ôta le bouchon et remplit son verre.

— Je ne le ferai pas, dit Floa la bouche pleine. Jusqu'à ma mort on me reprocherait d'avoir choisi ton train-ambassade pour réapparaître. Ce serait la même chose pour les autres Compagnies représentées ici. Il faut que je le fasse dans mon train privé, pas ailleurs. Mais c'est dangereux. Il est possible que les Aiguilleurs soient en train de le passer au peigne fin pour y trouver des documents qui leur permettront de m'accuser de tout ce qui va mal.

— Il ne faut pas perdre un instant.

Assoud appela au téléphone et essaya de parler de façon à décontenancer ceux qui seraient à l'écoute.

— Vicra a repris la direction de la Sécurité ferroviaire, estimant qu'en temps de crise il était de son devoir, etc., etc. Il est soutenu par l'ambassadeur panaméricain Buguey, qui a délégué auprès de lui son adjoint Peter Housk.

— Le bellâtre et le suppôt de Lady Diana, dit Yeuse, c'est très inquiétant.

— Sernine reste sur la réserve et n'approuve ni ne désapprouve. Il est très affecté par la nouvelle et voudrait se rendre au chevet de l'ambassadrice Yeuse. Il se démène pour savoir dans quel train-hôpital elle se trouve.

Floa fit la grimace mais continua de manger et de boire quand même.

— Le Conseil d'administration est convoqué mais il semble que les membres ne soient pas très chauds pour se réunir. Chacun excipe de bons motifs d'excuse, si bien que Vicra pourrait avoir les mains libres d'ici moins de vingt-quatre heures et on m'a dit qu'aussitôt je serais mis dans le premier train en partance pour l'Africania. Satisfaite ?

— Vous rappelez quand ?

— Dès que je pourrai.

Floa soupira :

— Dommage qu'il ne vienne pas ici. J'ai envie d'un homme très vite. Ensuite je retrouverai ma combativité, me semble-t-il.

Yeuse se planta devant elle :

— Arrête de t'empiffrer et de penser à la bagatelle. Il faut que tu interviennes et vite. On a perdu des heures et Vicra va te griller. Peter Housk, malgré ses airs de Don Juan, est très dangereux. Lady Diana doit communiquer minute après minute avec lui pour lui dicter sa conduite. Peutêtre même qu'elle est en route pour venir ici ou que sa flotte de la banquise atlantique roule vers la Transeuropéenne.

— C'est le retour émotionnel, dit Floa. Je me sens complètement vidée, sans ambition, avec juste des appétits. Je me goinfrerais et je baiserais toute la nuit pour me prouver que je suis bien vivante. Tu ne peux savoir comme j'ai eu peur dans ce silico-car qui pouvait éclater comme un œuf et avec nous. Ils ont failli réussir.

— Je vais te faire raccompagner. Il y a ici des hommes sûrs et efficaces.

— Commence par attirer l'attention sur toi, dit Floa après avoir réfléchi. Ce sera déjà un coup de théâtre. Toutes les têtes politiques vont soit accourir, soit regarder la télévision. Et quand ils seront tous en train de constater que tu es réellement indemne, je rentrerai chez moi. Je te téléphonerai et alors tu annonceras que moi aussi je suis en parfaite santé et que nous avions subi l'une et l'autre un simple examen par pure précaution.

— Et si tu tombes sur des Aiguilleurs là-bas dans ton train ?

— La fouille doit être terminée.

— Il faut des témoins avec toi. Seule ils t'élimineront et on retrouvera ton cadavre mutilé dans un train-hôpital où le personnel jugera qu'on t'y a transportée suite à l'attentat de ce matin.

CHAPITRE XXIII

Lorsque Peter Housk lui avait téléphoné, Lady Diana passait en revue la flotte de la banquise atlantique qui patrouillait sur le grand réseau nord-sud. Elle attendait depuis des jours l'annonce de l'attentat et lorsque son envoyé lui laissa entendre que Floa Sadon était peut-être morte, elle commença par suffoquer de colère.

— J'avais dit un simple avertissement... Juste quelques égratignures.

— Yeuse aussi serait morte.

— Vous n'êtes certain de rien ?

— On n'arrive pas à savoir dans quel train-hôpital elles ont été transportées. J'ai envoyé des gens de l'ambassade dans toutes les directions. Il y a cinq trains-hôpitaux autour de G.S.S. et quatre dans la station. Nulle part on n'y trouve les deux femmes.

— Voilà qui est curieux.

— Non. Ce ne sont pas les secouristes Aiguilleurs qui les ont transportées mais les services sanitaires de la traction, et vous savez que les deux corps de métier sont antagonistes. Ces gens-là ne veulent pas dire où ils ont transporté les corps.

— Continuez les recherches ! hurla Lady Diana.

Elle s'interrompit pour ordonner à son amiral de faire route vers la Transeuropéenne.

— A pleine vapeur ?

— Non, sans trop de hâte.

La conversation reprit avec son agent secret :

— Alors, que se passe-t-il ?

— J'ai conseillé à Vicra de prendre le pouvoir provisoire en convoquant le conseil d'administration.

— Il a accepté ?

— Difficilement. Il a peur que Floa ne réapparaisse et ne le fasse condamner cette fois. En même temps j'ai fait prévenir chaque membre du conseil qu'il était dangereux pour l'instant de faire le voyage dans la capitale. Ils sont tous vieux et frileux, très attachés à leurs richesses. Le sort de la Compagnie ne les tracasse pas plus que ça et ils vont rester dans leurs stations préférées. Vicra aura les mains libres suffisamment longtemps pour que nous l'imposions.

— Les réactions ?

— Malheureusement quelqu'un a prévenu les journalistes étrangers et nous avons dû laisser faire. La télévision a même diffusé un reportage.

— Cet Africanien qui dirige la commission d'enquête des journalistes étrangers ?

— Il est dans le coup, bien sûr. Il se déplace sans arrêt d'après la Sécurité ferroviaire et téléphone fréquemment. On ne sait à qui.

— Réaction des ambassades ?

— Sernine est furieux à cause de la mort éventuelle de Yeuse, Moulah l'Africanien aussi. Je crains que ça n'aille pas tout seul avec ces deux-là qui ont alerté leurs supérieurs et je sais que du côté sibérien on s'inquiète fort. Le général Sofi serait rappelé depuis la banquise du nord pacifique.

Lady Diana fronça les sourcils.

— Le Président Kid ?

— On ne sait rien encore.

134

Lady Diana respira profondément à plusieurs reprises. C'était une situation critique qui pouvait la réduire à néant mais elle n'avait pu refuser cet attentat au maître supérieur des Aiguilleurs, son oncle Palaga.

— Qui va enquêter?

— Les Aiguilleurs, mais aussi les services techniques de la Traction et ceux-là sont des légalistes. Ils risquent de nous causer des problèmes. Et comme ce sont les plus nombreux et qu'ils haïssent les Aiguilleurs, je me demande s'il ne faudrait pas très rapidement trouver un coupable.

— Lequel?

— Les deux femmes se trouvaient dans une région qui voici vingt ans avait sale réputation. On y trouvait des marginaux organisés en colonies exploitant des serres, et des Rénovateurs du Soleil. On va laisser entendre qu'une certaine malédiction pèse sur cette zone et que les assassins appartiennent à des groupes de ce type, qui ont considéré la venue des deux femmes comme une provocation. Nous irons plus loin en laissant entendre qu'elles ont été agressées alors qu'elles étaient dénudées, et dans une posture obscène... Les habitants seront indignés et ravis d'apprendre ce genre de révélation scandaleuse. Le plus ennuyeux c'est d'expliquer comment un blindé à la réforme a pu se trouver sur les lieux. Mais on trouvera bien une explication. Malheureusement les Aiguilleurs qui l'occupaient et qui ont été tués on ne sait par qui sont entre les mains des enquêteurs de la Traction, enfin leur cadavre, et ça c'est très gênant.

— Rappelez-moi dans une heure avec de nouvelles informations sur les deux femmes. Débrouillez-vous mais trouvez-moi l'endroit où on les a transportées.

CHAPITRE XXIV

Une demi-heure plus tard le chef de train vint trouver Yeuse, complètement affolé.

— Tout le monde ne pourra pas entrer. Il y a une cinquantaine de journalistes qui demandent à assister à votre conférence de presse. Où voulez-vous que nous placions ces gens-là ? Il y a les caméras des télévisions également. Aucun wagon n'est assez grand pour tout ça.

Yeuse regrettait d'avoir un peu négligé le côté mondain de son métier. Les autres se faisaient livrer de grands wagons de réception qui occupaient plusieurs voies. Elle vivait toujours dans le même train d'origine.

— Faites un tri. Les correspondants des journaux, des radios et des télés. Les grandes Compagnies, l'Australasienne et ensuite en essayant d'être le plus équitable possible.

— On sert à quoi ?

— Rien, ils ne viennent pas pour boire.

— Ils demandent déjà un standard.

— Nous n'en avons pas. Qu'ils se débrouillent.

Lorsqu'elle pénétra dans le salon, les conversations stoppèrent net et les caméras commencèrent de tourner. La télévision panaméricaine transmettait directement par câble le reportage, ainsi que la Sibérienne. L'Africanienne enverrait la bande vidéo par train spécial rapide.

— Voyageuse Yeuse, commença le journaliste de la chaîne sibérienne, nous sommes ravis de vous voir en excellente santé. Pouvez-vous nous dire dans quelles circonstances s'est produit cet attentat contre vous ?

— Non, fit grossièrement le Panaméricain chef d'agence, d'abord donnez-nous des nouvelles de Floa Sadon.

— Chaque chose en son temps.

— Est-ce à dire que vous ne savez pas si elle est grièvement blessée ?

— Taisez-vous, dit l'Africanien, laissez parler la voyageuse ambassadrice.

Yeuse, très calme, expliqua que Floa Sadon et elle avaient décidé d'aller visiter une ferme modèle située sur le petit réseau où on les avait trouvées. Entre-temps le personnel de l'ambassade avait justement trouvé une telle ferme dans les parages. On y élevait des dindes.

— Dans la banquise nous produisons des animaux énormes après des sélections et des modifications génétiques, et la Présidente voulait me montrer les spécimens de cette ferme qui sont petits mais de qualité meilleure.

On la regardait avec une certaine ironie mais elle s'en moquait. Toutes et tous pensaient qu'elles s'étaient isolées pour s'envoyer en l'air.

— Nous avions quelques ennuis d'alimentation en carburant et nous avons stoppé sur cette voie de garage.

Depuis chez elle, Floa Sadon devait suivre le reportage et saurait quoi répondre lorsque son tour viendrait. Mais ces gens-là ignoraient tout de son sort. Yeuse continua sans chercher à dissimuler la vérité.

Peu à peu les journalistes s'agitèrent, échangèrent des regards, et l'Africanien intervint à nouveau :

— Si je comprends bien... ils n'ont tiré contre vous qu'un missile spécial qui a soulevé la glace en une énorme congère qui masquait tout l'arrière.

— C'est exact.

— Est-ce qu'ils ont ensuite continué de tirer sur vous ?

— Non. Ils nous ont poussées une fois engagées sur la voie de garage. Ils voulaient nous mener jusqu'à l'aiguillage de sortie pour que nous déraillions. Et là ils nous auraient écrasés.

— C'est une hypothèse, constata le Panaméricain.

— Quand vous sentez qu'un blindé vous pousse devant lui avec une force énorme vous n'imaginez pas que c'est pour vous donner de l'amusement, répliqua-t-elle.

Les rires parurent agacer le Panaméricain qui attaqua aussitôt :

— On a retrouvé une literie complète... C'est quoi ces silico-cars, des compartiments à coucher sur roues ? Vous faisiez la sieste.

Quelques protestations indignées s'élevèrent mais on attendait une explication. Yeuse alors, avec une ironie légère, fit la publicité des silico-cars fabriqués dans sa Compagnie et termina en disant :

— Ils sont équipés pour les loisirs. Ils comportent normalement de quoi coucher, cuisiner et même, voyageur Kaine, un endroit pour faire pipi.

Cette fois ce fut une explosion d'hilarité et Kaine devint sombre, haussa les épaules. Son opérateur filmait sans désemparer le visage de Yeuse. Jamais son objectif ne s'égarait sur les autres assistants de la conférence de presse. C'était très difficile à supporter.

138

— Vous n'avez donc pas été blessée personnellement ?

— Choquée, profondément choquée... La réaction a été dure et pendant des heures je ne sais pas ce qui s'est passé. On m'a raccompagnée ici et voilà.

— Qui vous a raccompagnée, quel hôpital ? Où est la Présidente ?

Yeuse chercha et trouva une jeune femme asiatique qui venait de la Fédération Australasienne, mais achetait des programmes pour une Compagnie minuscule qui n'avait comme activité commerciale et économique tout court que la diffusion par câbles de télévision vingt-quatre heures sur vingt-quatre. Elle n'avait pas d'opérateur, juste un magnétophone, mais plus tard elle achèterait le film du Panaméricain ou de l'Africanien pour l'envoyer dans sa compagnie, la Pacific Channel C°.

— Oui, je vous écoute.

— Merci beaucoup, dit l'Asiate en paraissant intimidée... On n'a pas parlé des gens qui se trouvaient dans le blindé et j'ai même l'impression qu'on veut essayer de détourner les questions à ce sujet, en parlant de la literie de votre silico-car par exemple.

Le Panaméricain se tourna vers elle et lui lança entre dents :

— Tu pourras te fouiller, salope, pour avoir le film de l'interview.

— Merci quand même, mais j'ai un contrat avec une autre chaîne, répliqua-t-elle.

— Excellente question, dit Yeuse. Malheureusement pour l'instant il n'y a eu aucune révélation à ce sujet.

— Savez-vous que ce sont les enquêteurs de la Traction qui s'occupent de l'affaire ?

— J'en suis très satisfaite.

— Mais qui accusez-vous ? insista l'Asiate de la P.C. C°.

— Regardez à qui profite le crime.

Un bref instant de stupeur puis l'explosion.

— Voulez-vous dire que le maître Aiguilleur Vicra, qui s'est empressé de prendre la direction de la Compagnie, serait concerné par votre réponse ? demanda Assoud qui, arrivé en retard, se tenait debout dans le fond.

— Je n'ai rien dit de tel mais je pense qu'on n'essaye pas de tuer la Présidente et une ambassadrice gratuitement. Il y a une raison profonde dans tout cela.

— Pour la énième fois, cria Kaine, où se trouve la Présidente en ce moment ? Dans quel train hôpital ? Est-elle grièvement blessée, morte ou en vie ?

— Pour l'instant je l'ignore, dit Floa, mais je pense pouvoir vous donner des précisions avant la fin de cette conférence. On doit nous apporter une nouvelle très importante.

Kaine se rassit, la regardant bizarrement. Elle savait qu'il travaillait pour Peter Housk, donc pour Lady Diana, et son insistance paraissait pour le moins curieuse.

— Est-ce que cet attentat est lié à la mort de votre ami le journaliste Zeloy ?

C'était encore Assoud qui posait la question et la petite Asiate paraissait approuver.

— Je le pense, dit Yeuse. La Présidente avait à cœur de faire tout ce qui était en son pouvoir pour que la vérité soit connue le plus rapidement possible.

— Etait-ce le but de votre voyage ? La visite de la ferme d'élevage n'était-elle qu'accessoire ? lança le Sibérien d'un ton goguenard.

— Il est vrai que nous en avons discuté. Floa Sadon pensait qu'il fallait que tous les journalistes participent à l'enquête quelle que soit leur Compagnie d'origine.

Disant cela elle fixait Kaine, qui pâlit et n'osa plus

regarder ces confrères qui ricanaient. On détestait le channel panaméricain à cause de ses moyens énormes, des faveurs dont il jouissait dans la Compagnie et pour l'arrogance de son chef d'agence. Kaine dirigeait la presse écrite, parlée et télévisée, s'occupait de la vente des programmes, et cette activité mercantile n'était pas du tout appréciée des autres correspondants de presse.

— Votre Président est-il informé de cet attentat ?

— Je l'ignore, mais il ne le sera pas avant vingt-quatre heures. Il n'existe aucun câble direct pour la Compagnie de la Banquise et tout s'effectue par relais radio par l'Africania, la Dépression Indienne et les multiples Compagnies de la Fédération Australasienne. Il suffit d'un opérateur négligent ou d'une surcharge des ondes pour que le Président Kid ne reçoive l'information que très tard. Cependant je pense qu'il va énergiquement protester, et si par hasard tout n'était pas mis en œuvre pour savoir qui a armé nos assassins, les relations entre les deux Compagnies pourraient se dégrader très vite.

— Vous repartiriez dans votre Compagnie ?

— Il n'en est pas question pour l'instant.

Kaine récupérait très vite et ce fut d'une voix calme qu'il demanda s'il devrait attendre longtemps encore des nouvelles de la Présidente.

— Je ne peux rien vous dire à ce sujet.

Lady Diana devait suivre la conférence en direct de son bureau, à moins qu'elle ne soit en train de traverser la banquise atlantique. Si Kaine insistait c'était sur l'ordre de Peter Housk, afin que la grosse femme soit le plus rapidement fixée sur le sort de Floa Sadon.

Tout en répondant à la question d'un autre journaliste, elle écrivit un mot rapide qu'elle fit passer à son chef de train. Il eut un sursaut en le lisant mais elle insista en inclinant la tête avec un sourire. Tout simplement elle lui demandait de trancher le câble de liaison du channel panaméricain avec le train-régie. Un tout petit câble qu'on pouvait sectionner avec une paire de ciseaux. Câble qui se faufilait en dehors du compartiment-salon dans son bureau puis dans le sas voisin. Et il n'y avait personne dans son bureau.

Elle regarda furtivement sa montre. L'heure approchait où le même chef de train devait faire semblant de lui apporter le téléphone décroché.

Juste comme Kaine s'impatientait et grommelait, le chef de train revint avec le téléphone.

— Le câble ?

— Couic.

— Merci.

Elle porta l'appareil à son oreille. Elles avaient pensé avec Floa à une véritable communication entre elles puis à la réflexion avaient préféré cette comédie. Le silence était total dans le compartiment où l'on étouffait.

— Voyageuses, voyageurs... J'ai une nouvelle importante à vous annoncer... La Présidente Floa Sadon... est... de retour dans son train privé et vous convoque à une conférence de presse d'ici une heure.

Ce fut la ruée vers les portes tandis que Kaine hurlait dans son micro :

— Comment plus d'image ?... Qu'est-ce que ça signifie ?

L'opérateur haussait philosophiquement les épaules en regardant Yeuse. Celle-ci eut même l'impression qu'il lui faisait un clin d'œil, ayant compris ce qui s'était passé. Bientôt il ne resta plus que Assoud au fond. Ils avaient tous filé vers le train présidentiel.

CHAPITRE XXV

Gus s'était changé, avait trouvé un bain-douche convenable, s'était fait couper les cheveux et raser, mais il avait l'impression d'empester le fumier de mouton, regardait ses voisins dans la crainte de les voir froncer le nez, cependant personne ne paraissait incommodé par sa présence. Par contre on le regarda partir sur ses mains quand il descendit à l'arrêt, non loin de la Centrale de computers intermémos.

C'était un petit train de quatre wagons à un seul étage, assez modeste. Rien de comparable avec l'établissement de Stanley Station. Il expliqua à l'employé qui lui fit signe d'approcher la raison de sa venue.

— Une station qui possède des archives manuelles et dont le nom commencerait par KAR c'est bien ça ?

— Oui, exactement.

— Je remplis votre fiche ou vous voulez le faire ? Si je le fais c'est deux dollars de supplément.

— Passez-la-moi.

Il dut donner dix dollars tout de même et l'employé disparut pendant deux minutes, revint et lui fit signe d'attendre. Au bout d'un quart d'heure il marcha sur ses mains jusqu'au guichet :

— Ce n'est pas rapide.

— Nous avons dû passer sur de vieux réseaux. Il y a même une batterie d'appareils à fluide... Ça prend plus de temps.

— A fluide ?

— Oui... Mais ne me demandez pas comment ça marche, les deux techniciens qui travaillent dessus n'ont jamais le temps de me l'expliquer tant ils sont occupés. Mais ça va aller bien, vous verrez. On se fout de nous dans l'Australasienne et surtout là-bas à Stanley Station dans leur palace de verre et d'alu, mais ici on travaille sur des machins historiques et préhistoriques. Tous les événements anciens, tout ce qui a disparu est consigné quelque part et nous savons le retrouver.

Gus attendit en regrettant de s'être précipité trop vite. Il avait profité d'une halte du convoi pour quitter le wagon de fumier. Il était dans la banlieue de Suma Station et sous une verrière crasseuse où il s'était changé de vêtements en grelottant, abandonnant la plupart de ses affaires dans un coin. Il s'était douché, fait raser, couper les cheveux mais avait oublié de manger, et maintenant l'angoisse lui donnait une faim atroce.

Au bout d'une heure l'employé reçut un télex et sortit de derrière son guichet :

— Désolé mais ce sera plus long que prévu. Le machin à fluide a des fuites et le tri des fiches est interrompu. Je pense aussi qu'il y aura un supplément.

— Important ?

— Dix dollars, mais vous paierez quand vous aurez le renseignement.

— Je reviens quand ?

— En fin d'après-midi.

Il alla tout de suite dans une brasserie où il commanda du riz et du poisson. Les gens de Suma Station étaient d'une jolie couleur brun cuivré et il

144

trouvait les femmes splendides. Elles se drapaient dans des tissus colorés et il faisait très chaud dans le centre ville. On lui expliqua que c'était grâce à un volcan subglaciaire.

Sur les quais il fut suivi par une bande de gosses plus émerveillés qu'agressifs. Ils l'accompagnèrent jusqu'à ce qu'il pénètre dans un bar où il essaya de se reposer et d'oublier ces heures d'attente à venir. Cet intermémo était sa dernière chance.

Il aurait dû parler de Jaxell à l'employé si courtois, peut-être se serait-il rappelé la visite de l'informaticien. Pourquoi avait-il fait le déplacement plutôt que de faire les recherches sans se déranger ? La réponse pouvait être : parce que tout ce qui concerne Concrete Station est occulté par un verrouillage électronique. Oui, c'était probablement la raison de l'aller-retour rapide du garçon avant qu'il ne soit tué par les Tarphys.

Un peu avant l'heure il retourna dans la Centrale et l'employé lui fit signe de le suivre dans un petit bureau voisin.

— Nous avons toujours des problèmes avec l'ordinateur à fluide, voyageur... Nous en sommes désolés et de ce fait nous ne pouvons répondre à votre demande pour aujourd'hui. Mais pour vous faire oublier ce désagrément, non seulement nous vous dispensons du supplément mais nous vous remboursons cinq dollars pour vous permettre de payer votre traintel de bonne catégorie.

— C'est fort aimable à vous, mais quand puis-je espérer avoir ce que j'ai demandé ?

— Voyez, voyageur, il se produit quelque chose d'inexplicable dès que l'opérateur essaye d'obtenir les Kar... L'appareil se met en panne de lui-même et il a fini par se demander s'il n'existait pas un « interdict »...

— Qu'est-ce que c'est exactement ?

— Une autorité quelconque mais fédérale, c'est la loi, a demandé que certaines fiches soient isolées et inaccessibles du commun des mortels, comme vous, moi, l'opérateur.

— Et cet « interdict » met la machine hors service ?

— Oui, c'est curieux car rien ne l'annonce. Il devrait faire clignoter la lampe rouge. Un « interdict » c'est la lampe rouge et un petit grelot.

— Il n'y a pas d'écran ?

— Pas sur les appareils à fluide qui n'étaient en somme que des trieurs de fiches si l'on veut bien dire... Des millions de fiches mais tout de même. Rien à voir avec les microprocesseurs et autres merveilles d'aujourd'hui. Ils sont apparus voici dans les deux cents, deux cent cinquante ans et rendaient de bons services.

— Vous ne me laissez aucun espoir ?

— Hélas, voyageur, et s'il ne tenait qu'à moi je vous rendrais les dix dollars. Mais le règlement...

Gus remâchait sa déception et puis il pensa à Jaxell, donna sa description physique, la date de sa venue.

— Oui, oui, je vois, un confrère de Stanley assez méprisant pour nos machines à fluide et nos bouliers... Nous avons aussi des bouliers de comptabilité très perfectionnés... Mais lui aussi a mis Old Greasy en panne... Oui, nous l'appelons Vieux Graisseux car il y a toujours de l'huile partout... Les capillaires ont des fuites... Et quand en plus il y a un « interdict », c'est de véritables larmes huileuses qui échappent de ses mécanismes... Ce confrère a donc connu les mêmes déboires mais il s'est débrouillé autrement... Mais oui, j'aurais dû y penser.

Il disparut si vite que Gus ne le retrouva qu'en train de remplir une fiche derrière son comptoir. Il lui fit un signe amical et disparut dans le wagon des

146

machines, revint peu après. Gus se hissa sur la banque pour parler plus commodément et l'autre apprécia cette gymnastique.

— Oui, j'ai supprimé le mot Kar et j'ai demandé simplement une liste des endroits où l'on trouvait des archives manuelles.

— Ça va marcher, croyez-vous ?

— Bien sûr... On nous demande souvent ce genre de renseignements et aucun « interdict » ne peut être opposé... Vous devez avoir de sacrés muscles pour vous hisser ainsi sans effort et marcher sur les mains. J'ai vu marcher ainsi mais la tête en bas. Vos bras sont plus longs que votre torse ?

— Non, je suis habitué à mettre mon tronc à l'oblique pour que mes mains atteignent le sol sans que mes moignons frottent. Il m'a fallu du temps pour apprendre.

— C'est admirable. Mon nom est Lagore... Et vous ?

— Gus.

— Juste Gus ?

— Oui... Je ne sais même pas d'où ça vient car j'ai perdu la mémoire. Je sais que j'étais éleveur de rennes. Vous savez ce qu'est un renne ?

Lagore secouait la tête mais on lui apporta une fiche et il poussa une exclamation ravie :

— Voilà. On a un premier résultat...

Il compta :

— Dix-sept stations avec des archives manuelles... Non pas d'affolement. Une seule n'y figure pas et on va la trouver grâce à notre répertoire. C'est-à-dire tout bêtement un livre. On ne sait plus se servir d'un livre dans notre métier mais avec Old Greasy mieux vaut en avoir quelques-uns sous la main. Il n'y a plus qu'à faire l'appel.

— Et alors ?

— Alors, cher voyageur Gus, on saura quelle station est frappée par « l'interdict ».

Ce fut très rapide. Lagore poussa un cri de satisfaction qui attira l'attention des autres employés et clients.

— Voilà c'est Karachi Station. Oui, je me souviens bien maintenant de mon collègue qui avait été effaré que ce soit cette station.

— Mais pourquoi ?

— La distance… Et c'est dans une Compagnie de sauvages et pour y arriver il faut affronter d'autres sauvages, des aventures inouïes. On dit qu'il y a même une baleine folle qui attaque les convois sur un réseau. Je n'invente rien, ils en ont encore parlé à la télévision cette semaine.

— Karachi Station. Est-ce encore dans ce qu'on appelle la Dépression Indienne ?

— En bordure, cher voyageur. Mon collègue était très effrayé à l'idée d'aller là-bas et de plus par la cherté du voyage. Avec le prix de la place, les péages, les rackets, ça doit faire une somme considérable. Vous allez vraiment vous y rendre ?

— Je l'espère.

— Je vous admire, voyageur, je vous admire vraiment mais j'espère vous revoir un jour.

— Vous dois-je quelque chose ?

— Pas du tout.

Il se pencha pour voir Gus descendre du comptoir et s'éloigner de sa démarche de gros manchot repu.

CHAPITRE XXVI

Le même soir il repéra l'endroit où les traîne-wagons se retrouvaient dans l'attente d'une aubaine, travail, cadeau ou convoi pour ailleurs. C'était devant une misérable cantina qui servait de la bière très amère et un alcool de couleur rouge assez inquiétant. Ils étaient une dizaine assis devant le demi-wagon à l'intérieur duquel le patron et deux filles servaient le repas du soir.

— Regardez ce qui arrive, dit quelqu'un, ça tient du manchot et de l'acrobate.

— Ça doit être celui qu'on appelle Penguin Concrete, dit un homme jeune qui arrivait du sud.

Gus les salua, le torse penché, entre ses deux bras tendus.

— Tu fatigues pas comme ça ?

— L'habitude... Y a-t-il quelque chose pour le nord ?

— China Voksal ?

— Pas exactement, disons le nord-ouest... On dit que là-bas ils embauchent dans les mines de cadavres, est-ce vrai ?

— C'est vrai. Il faut descendre sous la glace et récupérer des corps, les empiler dans une benne et ça toute la journée, pour un bon salaire mais c'est crevant.

— Ça me dirait, dit Gus en s'appuyant contre l'escalier qui conduisait dans la cantina. C'est bon, là-dedans ?

— Le riz est bon mais le reste, tout de la récupération et de la baleine.

— C'est toi, Penguin Concrete ? demanda le jeune.

Gus fronça les sourcils, ce qui était toujours impressionnant.

— Penguin passe, mais Concrete, non.

— Tout le monde disait ainsi dans le sud mais je ne voulais pas te fâcher... Tu te souviens aussi de Melly ?

Gus éclata de rire :

— Donne-t-elle toujours le sein à ceux qui payent ?

— Oui. Elle doit voyager dans la région, toujours à la recherche de son mari et de ses deux gosses. Il paraît qu'ils n'ont jamais existé.

— Peut-être, fit Gus.

Concrete Station existait-elle seulement ? Il grimpa les escaliers puis s'immobilisa en haut sentant sur lui le regard envieux du jeune gars.

— Ton nom c'est quoi ?

— Pacra.

— Viens casser une graine avec moi.

Il se hissa d'un coup sur un banc de la grande table centrale et regarda l'une des filles qui montrait ses seins :

— On veut manger mais pas de baleine.

— Y a aussi du porc.

— J'en ai mangé des jours durant avec la Transit. Pas autre chose ?

On les servit assez vite. Pacra dévorait, les deux coudes écartés, la bouche à hauteur de l'assiette pour

150

ne pas perdre un seul grain de riz. Gus réfléchissait tout en enfournant des cuillerées de riz très épicé.

— Vous allez vraiment dans les mines de cadavres ?

— Peut-être. J'ai besoin d'argent.

— Concrete, ça veut dire quoi ?

— Béton. Tu sais ce que c'est du béton ? Non tu ne sais pas. Ça n'existe plus depuis des siècles... Mange et laisse-moi réfléchir.

Dans la nuit ils réussirent à embarquer à bord d'un convoi du genre train-cargo qui transportait de la marchandise en vrac, dans des wagons uniquement accessibles par le haut. Sans Pacra il n'y serait jamais arrivé. Le leur était rempli de riz et pour l'empêcher de geler la température était maintenant à dix degrés, ce qui leur convenait.

— J'ai travaillé dans les serres-rizières, dit Pacra, et j'en suis parti avant de cracher mes poumons. C'est cent pour cent d'humidité quand on repique les pousses les pieds dans l'eau dans une chaleur infernale. Ils recrutent sans arrêt.

Il s'était enfoui dans les grains avec un mépris évident pour cette céréale, et au cours du voyage il se soulagea dessus avec l'air de prendre sa revanche.

— Gus, ce n'est pas ton vrai nom, dit-il un soir. Pas plus que Penguin Concrete.

Le cul-de-jatte était droit, le torse un peu enfoui dans le riz. Il regardait ses mains, calleuses à force de marcher dessus. Malgré les gants, les moufles en cuir de phoque, elles devenaient dures, épaisses, et il avait du mal à faire jouer ses doigts. Il tenait de plus en plus difficilement un crayon, un couteau, se demandait s'il pourrait un jour boutonner un vêtement ou même serrer la main de quelqu'un.

— Je deviens un mutant, dit-il. Dans le temps je

crois me souvenir que je me déplaçais sur un fauteuil roulant.

— Tu as toujours été infirme ?

— Je crois que oui. J'étais éleveur de rennes. Ce sont des animaux...

— Je connais. Il y a des rennes dans les Compagnies du Nord, Sibérienne, Transeuropéenne, Panaméricaine septentrionale.

— Tu viens de là-bas ?

— Mes parents. J'avais huit ans quand ils ont décidé de quitter la Transeuropéenne pour fuir la guerre. Mon père ne voulait pas la faire. Nous nous sommes retrouvés dans des tas de stations entre l'Africania et l'Australasienne. Mon père savait faire de beaux vêtements et ma mère l'aidait. Ils sont morts quand j'avais dix ans et voilà, depuis je suis devenu un traîne-wagon. J'avais envie de retourner là-bas mais on me l'a déconseillé. Il paraît qu'on y crève de faim et que les traîne-wagons sont pourchassés un peu partout.

— D'où venaient tes parents ?

— Je me souviens surtout d'un nom et d'une odeur, celle des harengs en caque. La station s'appelait Norv Station et nous allions y voir mes grands-parents qui sentaient toujours le poisson. Ils avaient beau être gentils, l'odeur me faisait fuir quand je les voyais.

— Norv Station..., murmura Gus. Ça me rappelle quelque chose mais quoi ?

— Les élevages de rennes sont surtout importants à l'intérieur du petit cercle polaire. Mon père travaillait surtout du cuir de renne et avait sa méthode personnelle pour le rendre aussi souple qu'un tissu. Plus tard, dans l'exil, il a essayé de refaire la même chose avec d'autres peaux sans jamais y parvenir vraiment.

Gus fermait les yeux. Il revoyait des rennes dans une serre immense.

— Je marchais sur la banquise de l'Arctique quand des Roux m'ont recueilli.

CHAPITRE XXVII

Seule devant les caméras, Floa Sadon accusait d'une voix sèche. Et c'était miraculeux que la chaîne transeuropéenne continue à diffuser ces images étonnantes. Par deux fois la caméra avait pivoté d'un quart de cercle et Yeuse avait pu apercevoir des agents de la Traction dans leur uniforme de parade rouge et brun, des Conducteurs en bleu-gris également. C'était la première fois que ces corps de fonctionnaires de la Compagnie étaient ainsi tirés de leur anonymat pour apparaître dans une manifestation officielle au détriment du corps des Aiguilleurs.

Aiguilleurs que Floa stigmatisait avec virulence :

— Ce blindé n'est pas sorti tout seul d'Engineer Station. On l'a préparé longuement, réparé, on lui a adjoint un équipement adapté, un gros tube de lance-missiles de fabrication récente. Tout cela ne se fait pas clandestinement, sans complicités.

Assoud se penchait en avant le visage passionné, luisant avec les variations lumineuses de l'écran.

— J'accuse le maître Vicra d'avoir connu à l'avance les préparatifs de l'attentat. Il faisait partie du complot. La nouvelle n'était pas encore tombée qu'il s'emparait du pouvoir et convoquait le conseil d'administration.

154

Floa marqua un temps d'arrêt :

— Conseil d'administration qui en même temps recevait des menaces anonymes. Chaque membre a été prévenu des dangers qu'il y aurait pour lui à se rendre ici dans Grand Star Station, si bien qu'aucun ne s'est dérangé sous des prétextes divers.

— Peut-on savoir où vous étiez ? lança une voix féminine dans laquelle Yeuse crut reconnaître celle de la journaliste de la Pacific Channel C°.

— J'avais subi un choc nerveux et j'ai dû récupérer pendant quelques heures.

— Pourquoi avez-vous laissé croire à votre mort ?

— Je n'ai rien fait de tel. Ce sont mes ennemis qui s'en sont chargés.

— Etiez-vous dans un hôpital ?

— Je le dirai plus tard.

— Peut-on connaître la raison de cette escapade imprudente avec la représentante d'une Compagnie étrangère dans un territoire qui a toujours eu sale réputation ?

C'était la voix de Kaine. Lui seul parlait cet anglais différent. Et d'ailleurs la caméra se tourna vers lui. Yeuse constata qu'il était gris, qu'il transpirait beaucoup et que son regard manquait d'assurance.

— Vous êtes bien renseigné, voyageur Kaine, riposta Floa. De tous les journalistes présents je pense que vous êtes même le mieux renseigné au point que j'hésite à vous donner une réponse aussi banale : nous allions visiter une ferme modèle d'élevage et en même temps sur la mort de ce journaliste, un confrère que vous devez pleurer, voyageur Kaine.

Toute la salle ricana ouvertement et l'œil impitoyable de la caméra montra un Kaine qui luttait contre une certaine panique.

— La mort de Zeloy garde des mystères trop dangereux pour tout le monde. Elle préparait peut-être cet attentat dont j'ai failli être victime. Nous avions décidé, l'ambassadrice et moi, de tout mettre en œuvre pour accélérer l'enquête. Et nous allons le faire.

— Que va devenir Vicra ? demanda un autre journaliste.

— Il est arrêté.

En même temps la caméra revenait sur le visage de Kaine qui s'écroulait visiblement. Une autre caméra fixée sur le côté donna une image globale de ce salon-compartiment bien plus grand que celui de l'ambassade. Les assistants paraissaient passionnés par cette déclaration et la petite Asiate ne cachait pas sa satisfaction. Peu de gens en définitive aimaient les Aiguilleurs.

— C'est le commencement de la fin pour eux, murmura Yeuse.

— Le croyez-vous ? fit Assoud. Pas moi.

Floa désignait les gens de la Traction et les Conducteurs.

— J'ai demandé à ces deux grands corps publics de prendre en main la Sécurité ferroviaire, d'enquêter sur l'attentat et de rechercher pourquoi le maître Vicra s'est cru autorisé à s'installer à la présidence et à convoquer l'assemblée des actionnaires. Ils sont également chargés de mettre à la disposition de ces mêmes actionnaires des T.S.R. pour qu'ils soient tous, au plus tard demain soir, dans la capitale de la Compagnie.

— Les T.S.R. c'est quoi ? demanda Assoud.

— Train Spécial Rapide.

— Et s'ils refusent ?

— C'est une convocation impérative à laquelle on ne peut se dérober, lança Floa avec fermeté. La Traction et la Conduite sont responsables de leur venue et ont tout pouvoir pour les convaincre de venir.

— C'est-à-dire par la force ?

Floa se contenta de sourire. La caméra remonta les agents des deux corps qui venaient d'être soudain projetés au premier plan de l'actualité. Les téléspectateurs devaient être convaincus que désormais c'étaient eux qui régleraient les tâches policières dans toute la Concession. Les Aiguilleurs risquaient de passer de sales moments s'ils s'avisaient de sortir de leur fonction professionnelle.

— Je crains que dans les Provinces ça passe mal, dit Assoud. Ce sont les Aiguilleurs qui veillent aux frontières. S'ils rentrent dans leur tour de contrôle ou leur poste d'aiguillage ce sera catastrophique.

— Vous croyez qu'elle va réussir ?

— Oui, si elle fait aussi arrêter Peter Housk, renvoyer Buguey et Kaine.

— Vous y allez fort. Kaine passe encore, mais l'ambassadeur et son adjoint...

— Sinon ils continueront à grenouiller et elle aura du mal à remettre les choses en ordre. N'oubliez pas que lors des émeutes de la faim ce sont les Aiguilleurs qui ont remis de l'ordre avec l'aide des bâtiments de la flotte panaméricaine. Et la situation alimentaire ne s'est guère arrangée... Vous feriez mieux de demander à votre Président d'envoyer des trains de ravitaillement au plus vite.

Le chargé des Affaires économiques qui jouait un peu le rôle d'agent de renseignement de l'ambassade rentrait d'une tournée en ville :

— Tout est calme et dans les télé-bars il y a un monde fou. Les gens approuvent la Présidente. L'arrestation de Vicra est souvent accueillie par des bravos.

— Côté Aiguilleurs ?

— Rien de spécial. Les tours de contrôle fonctionnent normalement. Les draisines blindées de patrouilles ont totalement disparu, remplacées par des agents de la Traction qui se déplacent à pied.

C'est moins impressionnant et Floa Sadon semble jouer la carte de la reprise en main en douceur.

— Il faudrait voir du côté des trains-casernes qui tournent à l'extérieur de la ville, dit Assoud, sur le petit et le grand périphérique. Si les draisines blindées sont toutes remontées sur leurs wagons c'est bon signe. Sinon où sont-elles passées ?

La conférence de presse s'achevait et Yeuse pensa avec mépris que Kaine n'avait pas vraiment osé poser la question qui lui brûlait les lèvres, et qu'il avait lancée ici même avec insolence, sur la literie trouvée dans le silico-car et les vraies raisons de cette promenade. Si, il avait parlé d'escapade avec tous les sous-entendus salaces que ce mot impliquait.

Et juste à ce moment-là l'image devint incroyable : les agents de la Traction entouraient le chef d'agence de presse panaméricaine. On le voyait qui protestait, hurlait, devenait rouge de colère mais les hommes de la Traction restaient intraitables.

— Je crois qu'ils l'interpellent, dit Assoud. Cette fois Lady Diana va comprendre qu'elle a perdu la première manche. La première seulement.

Normalement les autres journalistes étrangers auraient dû s'indigner mais ils étaient debout, rangés en deux files silencieuses et calmes pour laisser passer Kaine entre ses gardiens.

CHAPITRE XXVIII

Le garçon se passionnait pour les Roux et voulait tout savoir sur eux. Depuis que Gus lui avait dit qu'il avait été recueilli par une tribu d'Hommes du Froid il ne cessait de le harceler de questions. Le cul-de-jatte aurait aimé se concentrer sur ses souvenirs détruits. Les confidences de Pacra avaient éveillé des échos en lui, Norv Station, par exemple, les élevages de rennes, et il aurait aimé les forcer à se développer, à évoquer d'autres faits antérieurs à son amnésie.

— Vous marchiez sur les mains ? Sur la banquise ? Et vous n'êtes pas mort de froid ?

— Non, j'avais des fourrures et des gants épais... Je crois que j'avais reçu un traitement qui m'a permis de résister au froid quelques jours. Puis quand les Roux m'ont recueilli j'ai craqué et je me suis mis à grelotter et à perdre la tête. Ils ont construit un igloo, allumé du feu pour moi. Une chance, c'était un clan qui aimait manger la viande cuite. Ils savaient faire du feu avec des bouses de rennes sauvages séchées, des débris de toutes sortes. Ils m'ont gavé de graisse et de viande, m'ont massé.

Il sourit :

— Par curiosité, bien sûr, leurs femmes m'ont déshabillé. Elles se demandaient si j'étais bien un homme et pour me réchauffer elles me faisaient l'amour. C'est une de leur panacée. Quand un enfant pleure on lui donne du plaisir et quand un vieillard gémit la même chose... J'ai surmonté ce froid et ils m'ont conduit dans une station habitée par des vagabonds... Ils ont commencé par me demander mon nom et j'ai dit Gus.

— Mais pourquoi ?

— Ça...

Il enleva son manteau de fourrure, en fait une veste pour un homme non privé de ses jambes, ôta ses lainages épais et réussit à remonter la manche des autres. Pacra put voir ce qui était inscrit en lettres marron rougeâtre sur son bras.

— Je lis « Gus » mais il y a autre chose avant.

— Je sais, mais je n'ai jamais réussi à deviner quoi.

— Ce n'est pas tatoué mais gravé avec un fer rougi. On dit que dans le cercle polaire les Iakoutes marquent ainsi les rennes en liberté.

— C'est possible.

Avant qu'il enfile ses vêtements chauds le garçon essaya de lire :

— Il y avait deux autres lettres. J'ai l'impression que c'est d'abord un I puis un N.

— Ingus ? Possible. Il y a des gens qui s'appellent ainsi.

— Avant on avait un prénom et un nom. Mais de plus en plus de gens n'ont que l'un ou l'autre. Ingus était effectivement un prénom, dit le garçon. On doit pouvoir recomposer les lettres effacées, avec des procédés scientifiques. Un produit chimique ou une radiographie... L'échographie peut-être... Non, je pense que la chair s'est reformée mais qu'en profondeur le derme a gardé trace.

— Ingus c'est pas si mal, dit le cul-de-jatte en

160

baissant sa manche. Excuse-moi mais fait pas assez chaud pour que je reste ainsi.

Il se rhabilla en vitesse et s'enfouit un peu plus dans le riz, mais c'était une céréale froide qui ne fermentait pas facilement comme le blé. Il avait voyagé dans un wagon de blé et avait dû se mettre nu.

— Ces vagabonds vivaient tranquilles dans cette station abandonnée depuis la guerre. Ils brûlaient les vieux wagons et pêchaient sous la banquise. Ils avaient creusé un trou profond d'au moins trente mètres, peut-être plus, et on devait descendre pour attraper les poissons. Du hareng surtout. On vivait bien mais je ne pouvais pas rester car j'avais deux mots composés qui me hantaient. L'un était Dépression Indienne et l'autre Concrete Station. J'ignorais ce qu'ils voulaient dire.

« Un jour une patrouille de la police ferroviaire, là-bas on dit Sécurité, est venue nous chercher. On nous a envoyés dans une sorte de train-hôpital horrible pour nous épouiller et vérifier si nous ne portions pas des germes de maladie. Je me suis retrouvé dans une station plus grande, à faire la manche en jouant les acrobates. J'ai pu aller dans une bibliothèque consulter un atlas récent. Personne jusque-là n'avait pu me renseigner. »

— Vous avez trouvé les deux noms géographiques.

— Juste celui de Dépression Indienne.

— Et vous avez fait le voyage ?

— C'est ça... Il a dû durer un an, je pense...

— Vous avez revu des Roux ?

— Quelquefois... Je comprends un peu leur langage.

— Mais pourquoi être venu uniquement à cause d'un nom ?

Gus faisait glisser une poignée de riz d'une main dans l'autre :

— C'est plus fort que moi. Il faut que je trouve cette Concrete Station.

CHAPITRE XXIX

Le premier dirigeable qui se présenta dans le ciel de la Sun Company avec les immigrants de Fraternité II fut *Soleil de Liberté*, et sa taille, il mesurait deux cents mètres de long, jeta les Tibétains dans la stupeur admirative. Ils avaient pensé que *Plein Soleil* était déjà extraordinaire, mais cet aéronef dépassait tout ce qu'ils pouvaient imaginer. Ils l'appelèrent « la Mère de la Mamelle », en souvenir du premier qu'ils avaient aperçu.

Liensun se demanda s'il était heureux de voir arriver les premières familles de Rénovateurs, tandis que *Soleil de Liberté* descendait en treuillant ses câbles d'ancres profondément enfouies dans la glace.

Juguez qui connaissait bien le garçon comprit son silence plein de réserve. Il était à craindre que les nouveaux venus ne considèrent la petite Compagnie comme leur territoire et se comportent comme un terrain conquis.

Ils avaient prévu tout un train d'accueil à proximité du lieu d'atterrissage. On y trouvait le confort, la chaleur et de la bonne nourriture locale. Mais le train stationnait à bonne distance d'Evrest Station et, si ces gens-là brûlaient du désir d'arpenter les quais d'une ville et de profiter des avantages de la vie citadine, ils allaient être frustrés. Liensun voulait une lente, très lente intégration dans la population indigène.

Il fallut pour l'agacer encore que le premier qui toucha la glace se prosterne pour la baiser comme s'il retournait au pays de ses ancêtres. Les Tibétains qui formaient cercle à distance parurent surpris par ce geste que les autres Rénovateurs se crurent forcés d'imiter.

— Quelle imbécillité, fit Juguez conscient de la provocation implicite de cette attitude, une chance que les Tibétains soient placides dans l'ensemble.

Il avait réussi sa mission dans la mine-bagne. Désormais il ne restait là-bas que des condamnés dangereux qui pouvaient remonter à l'air libre et bénéficiaient de bonnes conditions de vie. Certains libérés avaient tenu à rester pour gagner leur vie et s'installer avec leurs familles dans des vieux wagons mis à leur disposition. Tous pouvaient utiliser autant de charbon qu'ils le voulaient.

Juguez avait ensuite inspecté certains réseaux et d'autres mines, escaladé les fameux échafaudages à lichens et avait été impressionné que les cueilleurs prennent, à quatre et cinq cents mètres de haut, des risques aussi considérables pour si peu. L'usine à herbe démarrait lentement mais ne serait vraiment à plein rendement que dans deux ans. Il fallait en créer d'autres et en attendant on importait des aliments pour le bétail, qui coûtaient horriblement cher.

— Stupide, les yaks ! fulminait Liensun. Il faut pour nourrir un kilo de viande de yak brûler vingt kilos de charbon. Avec ces vingt kilos on produirait quatre kilos de légumes protéinés, des haricots de soja, et bien d'autres. Mais on ne peut changer des mœurs aussi ancestrales.

Le commandant de *Soleil de Liberté,* Jemaël mais

tout le monde l'appelait Jem, vint les saluer. Ils avaient effectué un voyage sans encombre.

— Il y a quatre-vingts personnes. Avec leurs bagages et un peu plus même. Le collectif a voté dans ce sens.

— Ma Ker ?

— Elle partira la dernière. Elle surveille le montage du réacteur sur *Soleil du Monde*. Si le moteur fonctionne, ce sera fantastique. Vous vous rendez compte ? Cinq cents mètres de long, deux mille tonnes de charge possible, autonomie totale. Il pourra faire le tour du monde plusieurs fois.

— Ce Jdrien est toujours là-bas ?

Jem parut choqué de son ton à la fois méprisant et moqueur, comme si Liensun trouvait son demi-frère ridicule.

— Heureusement. Il est le seul à pouvoir maintenir Jelly dans des limites raisonnables. Avec l'annonce du départ définitif, la vigilance s'est quelque peu estompée et il y a eu des accidents dont deux mortels. Les postes avancés ont été supprimés et le protoplasma de l'amibe a repris aussitôt le territoire abandonné. Nous n'avons presque plus d'huile minérale et de produits iodés.

Liensun essaya d'accueillir ces paroles avec le sang-froid d'un dirigeant de Compagnie, mais son visage exprima le dépit le plus vulgaire et Juguez essaya de faire taire Jem en le fusillant du regard. Mais le commandant de dirigeable possédait son franc-parler et surtout c'était un fonceur-né :

— Oui, une chance pour nous. C'est un homme admirable et nous sommes pour la plupart convaincus de sa divinité. Il est sur ce monde glacé pour essayer de réconcilier les deux races antagonistes. Et il ne se contente pas de le prêcher, il agit. Il nous sauve la vie depuis des semaines de présence. Son esprit seul peut combattre cette force du mal qu'est l'amibe géante.

— Vous allez vous convertir à sa religion ? répliqua Liensun furieux.

Jem réalisa qu'il déplaisait, vit la mimique de Juguez et, ne sachant plus que dire, s'enfonça encore plus en désignant le train immobilisé à proximité sur une voie construite à la hâte.

— Vous allez emmener les familles dans votre capitale ? C'est à proximité, n'est-ce pas ?

Le silence de Liensun et l'embarras de Juguez lui parurent étranges.

— Il n'y a pas de loco ?

— Non, dit Liensun. Ils vont s'installer là-dedans et nous verrons par la suite.

— Vous voulez dire..., s'étrangla Jem.

Il dut reprendre son souffle :

— Vous voulez dire que vous allez parquer les Rénovateurs, vos amis, vos frères, dans ces quelques wagons isolés, loin de tout et sans même pouvoir profiter de l'abri d'une verrière ou d'un dôme ?

— Ce n'est que provisoire.

— Un camp de transit, oui !

Le commandant regarda Juguez :

— Vous approuvez qu'on traite ces pauvres gens qui viennent de passer des mois atroces au cœur même de Jelly de cette façon inhumaine ?

— C'est moi qui ai pris cette décision. Ici c'est moi qui commande, cria Liensun.

Jem recula d'un pas et hocha la tête :

— Je m'en souviendrai. Nous repartirons dès que les pleins seront faits. Il y a d'autres Rénovateurs qui attendent en se faisant des illusions.

166

CHAPITRE XXX

Toute la nuit Yeuse avait veillé à ce que ses messages successifs soient bien acheminés, malgré les événements. Elle essayait de les suivre dans les différents relais qui les relançaient sur les ondes à destination de la Compagnie de la Banquise, mais au-delà de l'Africania, dans la Dépression Indienne, c'était impossible d'accélérer les choses. Il aurait fallu avoir un représentant dans les centres émetteurs pour surveiller les opérations, distribuer des pots-de-vin. Elle ferait part de cette idée au Kid qui cherchait toujours comment améliorer les relations entre Compagnies. Il y était parvenu assez bien avec la Panaméricaine en utilisant les réseaux de l'Antarctique.

En même temps elle suivait de près les événements, craignant que la nuit n'apporte des bouleversements en réaction à la conférence de presse de Floa Sadon, mais les coups de fil d'Assoud et les sorties de son personnel finissaient par la rassurer.

Les Aiguilleurs, privés de leur chef principal et sous le choc de leur déchéance, ne réagissaient pas et leurs blindés légers embarquaient peu à peu à bord des trains-casernes qui continuaient de tourner en rond autour de la capitale. C'était malgré tout une menace sournoise et Floa Sadon devrait prendre très vite une décision.

Elle dormit un peu sur le matin mais se réveilla au bout de deux heures en espérant avoir une réponse du Kid et de son mari. L'écrivain devait s'inquiéter à son sujet mais elle s'avouait impuissante à faire mieux.

Sernine, l'ambassadeur sibérien, se fit annoncer très tôt et se précipita sur elle, l'embrassa affectueusement à sa grande surprise.

— J'étais vraiment bouleversé à la pensée que vous pouviez être grièvement atteinte, morte, qui sait. Et lorsque j'ai appris que vous donniez une conférence de presse... Vous savez que dans ma Compagnie on était très inquiet des événements, surtout de la prise du pouvoir par Vicra grand maître des Aiguilleurs, alors qu'à nos frontières ce sont ces mêmes Aiguilleurs qui massent leurs blindés, leurs bâtiments de guerre ? Sofi a été rappelé à Moscova Voksal.

— Je n'étais pas seule en cause. Il y avait surtout la disparition de Floa Sadon, fit-elle malicieuse. —

— Vous m'auriez terriblement manqué, dit-il.

Elle le pensa sincère et devait se souvenir de ces instants-là, même si la situation entre les deux Compagnies se détériorait.

— Tout est calme, dit-il, et j'ai vu des agents de la Traction prendre position sur le grand périphérique pour surveiller les trains-casernes des Aiguilleurs. Croyez-vous que la Présidente va dissoudre ces trains qui sont terriblement dangereux ? De véritables forteresses, avec des blindages épais.

— Vous êtes bien renseigné.

— C'est mon rôle. Des blindages spéciaux, des armes très sophistiquées vendues par la Panaméricaine.

— Vous en vendez aussi, dit-elle amusée.

Il accepta de déjeuner avec elle et on apporta du café et du thé.

— Je vous prépare des œufs aux saucisses ? J'ai l'habitude de les cuire moi-même ici.

Il paraissait ravi de la voir cuisiner pour lui et de leur intimité. Les nouvelles radiodiffusées ne concernaient que l'attentat et la reprise en main de la Compagnie. On avait établi que trois des hommes morts dans l'explosion intérieure du blindé appartenaient au corps des Aiguilleurs, le quatrième n'était qu'un agent auxiliaire. Il se disait que le chef d'Engineer Station avait été arrêté, et venait d'avouer que depuis des mois le blindé avait été secrètement révisé et remis en état de marche.

— Ce genre de choses pourrait se produire chez nous. Nous sommes en train de mettre les Aiguilleurs au pas. Ils sont très nerveux depuis quelque temps. En fait cela remonterait à une dizaine d'années.

Yeuse lui servit ses œufs, ses saucisses, poussa la corbeille de petits pains spéciaux que l'on ne trouvait que dans une boutique de luxe.

— Vous voulez dire depuis qu'ils se doutent que Lien Rag leur aurait échappé !

— Voilà. C'est cela et les bruits qui continuent à courir, à enfler. On raconte n'importe quoi.

Il commença de manger :

— C'est très bon.

— Le bruit que Lien Rag et Kurts seraient partis sur la Voie Oblique... Je trouve que c'est une explication trop merveilleuse, trop naïve, et je me demande si vous ne me prenez pas pour une imbécile.

Sernine en resta bouche bée et elle lui servit du café avec le sourire :

— Dix ans pour suivre une simple voie ?

— C'est allégorique, je suppose.

— Vous m'aviez promis des confidences sur la

survie de Lien Rag. Vous vous êtes contenté de m'affirmer qu'il était en vie mais comment vous croirais-je ?

Il continua de manger avec appétit, essuya sa bouche pour vider sa tasse de café, accepta qu'elle le resserve :

— Je tiendrai parole et hier, lorsque je croyais que vous étiez morte, je regrettais de ne pas l'avoir fait plus tôt.

Malgré les nouvelles importantes qui tombaient à chaque instant Yeuse préféra interrompre la radio.

— Je vous écoute mais cette fois pas de faux-fuyants.

— Nous avons, vous le savez, des correspondants un peu partout dans le monde.

— Disons d'honorables correspondants, c'est-à-dire des espions.

— Des agents de renseignements. Notamment dans l'Australasienne, où la multitude des Compagnies entraîne un brassage d'hommes, de marchandises, d'idées et bien sûr d'informations.

— Si vous alliez au plus bref ?

— Nous avons retrouvé la fameuse locomotive de Kurts le pirate. L'énorme monstre d'acier, de fonte et de cuivre qui dans le temps terrorisait les Compagnies.

C'était une nouvelle extraordinaire mais qui ne prouvait rien au sujet de Lien Rag.

— Elle se trouve dans le nord de la Dépression Indienne, dans une station minable. Surveillée par les anciens compagnons de Kurts, ses complices. L'un d'eux a déserté voici quatre ans et a tout raconté à un de nos correspondants. Kurts et Lien Rag sont restés là quelque temps avant de partir ensemble pour le nord à bord d'une draisine. L'endroit se nomme Gravel Station. Il y a une mine de sable en dessous. Du sable pour les locos, contre le verglas.

CHAPITRE XXXI

Quand il le pouvait, à chaque arrêt prolongé dans des cross stations par exemple, Pacra filait chercher de quoi manger et Gus s'émerveillait de le voir si bien réussir. Il ramenait des nourritures de choix, des gros poulets rôtis, des légumes préparés dans des containers spéciaux.

— On dirait que tu vas faire tes achats dans un train-marché, admirait Gus.

— Je me débrouille... Les restaurants ont toujours une arrière-cuisine qui permet de s'introduire.

Gus arrachait le pilon d'un poulet et mordait dedans avec gloutonnerie. Ce compagnon était excellent et il avait de bonnes manières en plus, n'eût été son aversion pour le riz.

— Il nous faudra quitter ce wagon, disait Gus. Il ne va pas au même endroit que nous.

— Les mines de cadavres ?

— Oh ! je vais encore plus loin.

— Concrete Station, se moquait le jeune.

— Pas comme ça. Il faut la mériter, celle-là. D'abord Karachi Station, sa bibliothèque d'archives manuelles. On dit qu'elle est fabuleuse et regroupe tout ce qui traînait comme écrits dans cette partie du monde. Je n'aurais jamais pensé à cette station. On

dit que la Compagnie où elle se trouve est dangereuse. Depuis cent ans les habitants luttent contre
l'établissement d'un réseau qui réunirait l'Australasienne à la Transibérienne. Ce sont des guerriers et
leur chef est un seigneur de la guerre, c'est ainsi qu'il
se nomme.

— Vous voulez quitter ce wagon de riz ?

— Il ne bifurquera pas pour nous faire plaisir vers
l'ouest, plaisanta Gus. Je pense que prochainement
nous devrons nous résigner à l'abandonner et à
essayer de trouver autre chose. Nous ne sommes pas
près d'arriver à Karachi.

— Rien ne presse.

— Si, je me fais vieux, je m'use à marcher ainsi sur
mes mains et à courir le monde... Je veux trouver vite
un endroit pour me reposer.

— Votre Concrete Station ? C'est quoi, une sorte
de train-hospice pour traîne-wagon épuisé ?

— Crétin, va, tiens lis.

Il lui jeta la brochure trouvée chez Jaxell et Pacra
ouvrit de grands yeux.

— Vous croyez ce que ce siphonné a écrit ?

— Non, bien sûr, mais il doit y avoir un fond de
vérité. Et pourquoi, alors que mon cerveau était
vide, j'avais ce nom-là qui était resté ? Comme si on
avait passé mes souvenirs au crible et qu'il ait seul
subsisté...

— Avec les rennes, n'oubliez pas.

— Ouais, les rennes...

— Votre Concrete, c'est peut-être un élevage de
rennes ?

— Tu ne me feras pas enrager.

Dans la nuit il y eut un nouvel arrêt et le garçon en
profita pour sortir du wagon de riz. Gus pensa qu'il
allait chercher de la nourriture et il s'en étonna car ils
avaient de quoi manger pour plusieurs jours.

Le garçon revint peu après.

172

— J'ai changé la destination. Celle de notre wagon.

— C'est impossible. Il faut des lettres spéciales phosphorescentes. D'autre traîne-wagons y ont déjà songé et je n'ai jamais vu personne réussir à s'en procurer.

— Eh bien moi je l'ai fait. J'ai trouvé des lettres lumineuses et j'ai tout changé. Maintenant le riz va se retrouver dans la direction de Karachi, pas tout à fait là-bas mais dans une cross station qui s'appelle Markett Station et qui est un grand centre de commerce.

— Tu en sais des choses…, fit Gus entre dents. Tu as l'air de la connaître par cœur cette zone de la Dépression Indienne.

Pacra eut un rire juvénile.

— Je vais vous dire, Gus, j'ai une passion pour les indicateurs ferroviaires, et quand je peux je pianote pour rêver sur les réseaux, les stations, les voies secondaires, les trous perdus. Si je vous disais que j'ai rêvé un jour sur un bled qui s'appelait Friends Station et que j'ai failli y aller, jusqu'à ce qu'on me dise que c'était une arnaque pour attirer les gens, une sorte de casino si vous préférez. Un peu comme vous pour Concrete Station.

— Ce n'est pas que mon rêve à moi, dit Gus. J'ai l'impression qu'il intéresse pas mal de monde… Il y avait un type à Stanley qui s'est fait descendre pour ça… Toute une bande de tueurs sont à ma recherche… Tu connais les Tarphys ?

— Jamais entendu parler.

— Et tu dis être allé à Stanley Station ?

— On ne fréquentait pas le même endroit, c'est certain.

— Il y a aussi les « interdits » sur les banques de données. C'est pas qu'un fantasme personnel, fils, pas seulement.

— Un paradis alors ?

— Je ne peux pas le dire. Je vois bien que tu essayes de me tirer les vers du nez mais je ne sais rien. Rien de rien, mon pauvre vieux, je suis parti au hasard depuis des années, au hasard...

Leur wagon fut violemment tamponné et il interrompit sa réponse. Pacra grimpa jusqu'à la trappe pour jeter un coup d'œil, se laissa tomber avec souplesse sur le tas de riz en vrac :

— Ça gaze, ils nous détellent et nous envoient vers une autre rame sur la branche ouest.

— Tu es vraiment fûté.

Ils attendirent cependant avec inquiétude le départ de la rame et le garçon remonta pour voir si c'était bien sur le réseau qui conduisait vers Karachi. C'était bien le bon et Gus s'endormit.

Deux nuits plus tard Pacra disparut pour aller voler de la nourriture et Gus l'attendit sans s'inquiéter, sachant qu'il reviendrait. Il devait revenir.

Effectivement une heure plus tard un paquet tomba du ciel, puis un autre.

— J'ai du bon, dit Pacra.

Au fur et à mesure qu'il défaisait le paquet ça sentait très bon en effet. Il y avait des gâteaux et une sorte de hachis de viande avec des nouilles asiates.

— Et c'est encore chaud, remarqua Gus, Pacra, tu es vraiment un être exceptionnel.

— Montrez-moi votre tatouage, Gus, je vais faire apparaître le reste du nom avec ce liquide. Ça sert à se teindre la peau et c'est très à la mode dans le coin. On veut avoir le teint sombre. Votre bras deviendra brun alors que les cinq lettres resteront blanches.

CHAPITRE XXXII

Les deux hommes passèrent deux fois vingt-quatre heures abominables à attendre des nouvelles de Transeuropéenne. Le Kid ne voulut pas que R le quitte et lui fit préparer un compartiment-chambre. L'écrivain voulait reprendre le train pour G.S.S. malgré son interdiction de séjour.

— Il vous faudra trop de temps, voyons. C'est insensé. Nous allons avoir des nouvelles, de bonnes nouvelles.

— Vous n'y croyez pas vous-même.

— Mais si… Seulement je me sens impatient avec un système d'information qui ne va pas du tout. Nous dépendons de petites Compagnies qui se sont chargées des relais et qui sont incapables d'assurer un service correct. Pourtant elles se font payer cher. Il arrive même qu'avant de diffuser elles demandent le numéro de notre carte de crédit…

— Yeuse ne peut pas être morte, pas elle… elle n'aurait jamais dû accompagner Floa. Et où allaient-elles ? Par moments ma femme se conduit comme une gamine…

Le Président Kid essayait de régler ses affaires, apprenait que les Sibériens songeaient à renoncer à la destruction des Rénovateurs.

— Jelly les bloque, les gêne. Ils préfèrent repartir bredouilles plutôt que d'admettre l'existence de cette anomalie de la nature.

R essayait de capter des émissions radio et était toujours fourré avec les techniciens qui assumaient le service des télécommunications de la présidence.

— Kid, désormais on sait partout que Floa Sadon et Yeuse sont mortes... Ma femme aurait déjà démenti, voyons... Il faut que je parte, je vous assure qu'il faut que je parte le plus vite possible. Je mènerai l'enquête, je harcellerai ces gens...

— Patientez encore un peu. Si vraiment ils ont tué mon ambassadrice, j'irai là-bas en personne.

R en resta pétrifié malgré sa douleur violente. Le Kid ne quittait jamais sa concession, sauf lorsqu'il rencontrait Lady Diana dans l'Antarctique.

— Oui, j'irai là-bas et je leur montrerai ma haine...

— Vous feriez ça ?

— Je sais qui est derrière. Je sais beaucoup de choses, R. De par ma fonction j'ai été mêlé aux affaires les plus confidentielles. Lady Diana a dû même me confier des secrets que j'ignorais totalement.

Cette fois Ruanda commença de s'inquiéter. Dans un instant aussi chargé d'émotion le Kid n'était plus maître de lui et pour la première fois se livrait à des confidences dangereuses. Il préférait ne pas les écouter, de crainte que revenu à un état plus serein le Président ne soit atterré d'avoir révélé ces choses.

— Je vous en prie, Kid... Cela ne me concerne en rien. Je veux penser à Yeuse seulement.

— Lady Diana complote et elle n'est qu'une suite dans la longue liste des comploteurs. Il y a un secret terrible qui paralyse le monde, Ruanda. Vous avez entendu parler de la Voie Oblique un jour ou l'autre... Ne me dites pas non. Tout le monde en a entendu parler et Lien Rag est mort parce qu'il cherchait à percer ce secret.

Ruanda se dirigea vers la porte et le Kid le poursuivit avec son fauteuil.

— Ruanda, vous êtes mon ami, Yeuse l'était et vous allez désormais la remplacer.

R se retourna violemment, tellement qu'il fut heurté par le fauteuil qui arrivait à toute vitesse derrière lui et qu'il percuta la porte.

— Excusez-moi, je croyais que vous sortiez... Vous saignez du nez... Prenez mon mouchoir...

Plus tard l'écrivain bénit le sort d'avoir ainsi provoqué chez le Président une réaction salutaire, au moment où il allait révéler ce que R ne voulait pas entendre. La vue du sang le calma et lui-même il étancha le nez de son ami, le força à s'allonger sur un fauteuil.

— Renversez la tête, voyons... Il faut de la glace. J'en fais apporter.

— Ce n'est rien, je vous assure que ce n'est rien.

— Apportez de la glace, dit le Président au secrétaire qui les regarda avec stupeur.

Il crut que le Kid avait flanqué son poing dans le nez de l'écrivain et répandit cette fable dans les bureaux.

— Oubliez ce que j'ai dit, murmura plus tard le Président en servant un verre d'alcool à son ami. La douleur m'égarait et je suis tenu à une grande discrétion... Sinon le système s'écroule.

— J'ai déjà tout oublié.

C'est alors qu'arriva le message de Yeuse qui annonçait qu'elle était sortie indemne de l'attentat, comme Floa Sadon d'ailleurs. Les deux hommes tombèrent dans les bras l'un de l'autre et pleurèrent.

CHAPITRE XXXIII

Dans les stocks du train ambassade on avait fini par trouver des *Instructions ferroviaires* concernant la Dépression Indienne et depuis une heure Yeuse et Sernine cherchaient à situer Gravel Station.

— Le déserteur a dit que c'était minuscule, la mine étant abandonnée, mais il y a des montagnes de sable qui attendent. On l'extrait du subglaciaire. Kurts aurait racheté cette station depuis longtemps, l'utilisant comme base de repli.

— Ce type s'appelait comment, le déserteur ?

— Tramar... Il était fiché chez nous comme terroriste depuis trente ans et nous ignorions qu'il était devenu pirate.

— Pourquoi a-t-il déserté ?

— Parce qu'il ne voulait pas vivre là-bas, à Gravel Station, dans la solitude absolue. Il avait de l'argent planqué et comptait aller le récupérer. Il venait au ravitaillement avec un autre dans une cross station, une cross station nommée Markett Station. Il en a profité pour filer. Il s'est fait arrêter pour une bagarre et ensuite a payé sa caution.

— Et par hasard il est tombé sur votre correspondant ?

— Bien sûr puisque c'était aussi le chef de la

police à l'époque, et il a fait parler Tramar qui lui a raconté qu'il était à Gravel Station depuis des années à attendre le retour d'un certain Kurts et de son copain Rag. Ça a fait tilt chez notre ami qui nous a alertés... Mais les communications sont longues et quand on lui a répondu que Tramar était sibérien, eh bien le déserteur s'était évaporé.

— Votre homme est allé vérifier pour l'énorme locomotive ?

— C'était trop dangereux de le faire sans précautions. Il a trouvé un biais, il voulait acheter cinquante wagons de sable, et il est allé là-bas avec une draisine et deux hommes à lui. Ce qui l'a surpris c'est qu'il y ait beaucoup plus de gens que prévu, des hommes, des femmes et des enfants qui vivaient en communauté et ne paraissaient pas autrement soucieux. Ils ont refusé de vendre le sable et mon compatriote a remarqué qu'il y avait sept pyramides de sable. Or d'après le vendeur de la station et de la mine, il n'y en avait jamais eu que six.

— La loco est dessous ?

— Certainement. Planquée sous le sable. Ils ont dû construire un fabuleux hangar si les dimensions que l'on dit ne sont pas exagérées. Et le hangar a été enseveli sous du sable pris à chacune des six autres pyramides.

— Vous n'avez rien fait ?

— Notre correspondant a été muté et depuis nous n'avons plus personne dans la région.

Pendant ce temps Floa Sadon poursuivait impitoyablement sa normalisation dans tous les domaines, dans toutes les administrations. Les Aiguilleurs étaient renvoyés de tous les postes importants qu'ils occupaient dans plusieurs départements et les trains-casernes étaient disloqués. La Traction et les Conducteurs veillaient à ce que les ordres de Floa Sadon soient exécutés avec rapidité. Le procès de Vicra était instruit en hâte et se déroulerait d'ici deux mois.

Yeuse reçut un message chaleureux signé à la fois du Président et de son mari. R avait réussi son pari et était rentré en grâce auprès du Kid.

CHAPITRE XXXIV

Pacra avait soigneusement badigeonné le bras de Gus avec son produit et celui-ci regardait sa peau avec un air dubitatif.

— Il faudra attendre demain, dit le garçon.

— Bien.

Ils mangèrent et dans la nuit le wagon fut à nouveau tamponné.

— Dans deux jours Markett Station, dit Pacra, et de là on n'aura pas de difficulté à rejoindre Karachi Station.

— Avec toi tout est facile, aisé, sans problème. Tu veux manger, on mange. Tu veux que le wagon aille dans une certaine direction, il y va... C'est magique.

— J'ai de la chance et je sais comment la provoquer.

— A se demander ce que tu fous comme traîne-wagon.

— Vous en faites pas pour moi. Je ne resterai pas toujours à faire le rail comme tant de paumés.

— J'en suis certain... Si tu ne rencontres pas un trop gros os qui t'étouffera, dit Gus.

— Vous en faites pas, Penguin Concrete, vous en faites pas.

Gus resta silencieux et fit semblant de dormir. Il y eut un autre arrêt dans la nuit et le garçon grimpa en toute hâte sur le toit, resta absent une bonne heure. Gus, quand il revint, faisait toujours semblant de dormir.

Lorsqu'il se réveilla il ne faisait pas encore jour mais il savait se débrouiller sans lumière et il se prépara tranquillement. Pacra enfoncé dans son riz qu'il disait détester, ronflottait joyeusement.

— Eh ! Penguin, y a une thermos de café quelque part. D'accord ?

— Sûr que je suis d'accord, mais d'où le sors-tu ?

— Cette nuit j'ai fait une balade sur les toits des wagons dans une cross station et qu'est-ce que je vois ? Un plein chariot de thermos pour les équipes des voies. Alors j'en ai piqué une et aussi les casse-croûte.

— Tu te balades souvent la nuit... Tu sais ce que je pense, Pacra ?

— Je vais le savoir, dit l'autre avec un sourire éblouissant.

— Que tu bluffes parfois. Tu dois avoir un peu de fric planqué et tu voles moins que tu ne dis, tu achètes surtout. Et je trouve étonnant un traîne-wagon qui a du fric et achète sans arrêt des trucs qu'il partage avec un cul-de-jatte crasseux.

— Allons, Penguin, vous savez bien que vous n'êtes pas crasseux. Comme ça vous croyez que j'ai du fric ?

— Peut-être aussi des relations.

— Des relations ?

— Une sorte de laissez-passer ou de carte qui te permet de faire changer la route d'un wagon par exemple.

Pacra s'esclaffa :

— Vous me prenez pour un original qui voyage ainsi pour s'amuser ?

— Peut-être. Oui, c'est possible.

— Et si on regardait votre bras maintenant.

— Mon bras ?

182

— Le produit a dû décolorer votre peau sauf à l'endroit de la brûlure du marquage. On doit lire les deux lettres manquantes. Je suis sûr que c'est le I et le N. Ingus, c'est beau comme nom.

— On va voir.

Gus ôta son manteau, ses lainages et retroussa la manche de sa dernière chemise en laine épaisse :

— Voyons. C'est vrai que la peau est brune. Drôlement efficace ton produit.

Pacra avança à genoux et se tint tout près du traîne-wagon pour regarder.

— Tiens, c'est pas Ingus.

— Non, dit Gus. On dirait un R et un A...

— Ragus, fit le garçon qui d'un coup changea d'expression.

Son visage exprima la ruse, la cruauté, la détermination.

— C'est tout ce que je voulais savoir, Ragus. Lienty Ragus.

— Comment tu dis ?

— Lienty.

Pacra mit la main sous son aisselle mais Gus fut plus rapide et en une seconde son couteau de dépeceur plongea dans le cœur du garçon.

— Adieu, Tarphys... Tu t'es trahi... Et je me tenais sur mes gardes depuis la mort de Jaxell.

Pacra le regarda les yeux exorbités, la main sous l'aisselle, figé dans la mort soudaine. Il n'eut qu'à le pousser pour qu'il s'écroule sur le côté. Gus fouilla son corps et trouva un pistolet, une liasse de billets, des dollars, deux cartes intercompagnies de la Fédération.

— Ragus, murmura-t-il, Lienty Ragus... D'où ça sort un nom pareil ?

FIN

TITRES DISPONIBLES DANS CETTE SÉRIE :

DÉJA PARUS DANS LA MÊME COLLECTION

VIENT DE PARAÎTRE :

Achevé d'imprimer en avril 1986
sur les presses de l'Imprimerie Bussière
à Saint-Amand (Cher)

— N° d'impression : 479. —
Dépôt légal : juin 1986.
Imprimé en France

PUBLICATION MENSUELLE